醫心如月映百川

——臺灣急診醫學先行者胡勝川回憶錄

胡勝川 著

經典

上／胡勝川就讀國防醫學院時期。

下／學生時代熱愛運動，曾獲籃球比賽冠軍。

上／一九七五–七六年間奉派支援東引。
下／一九七五年參與義診。

上／二〇一一年，花蓮慈濟醫院醫護同仁前往榮民之家關懷，
胡勝川醫師與長者話家常。
下／二〇〇〇年一月二十五日，在花蓮慈濟醫院舉辦花蓮區域
緊急醫療網EMT-I訓練。

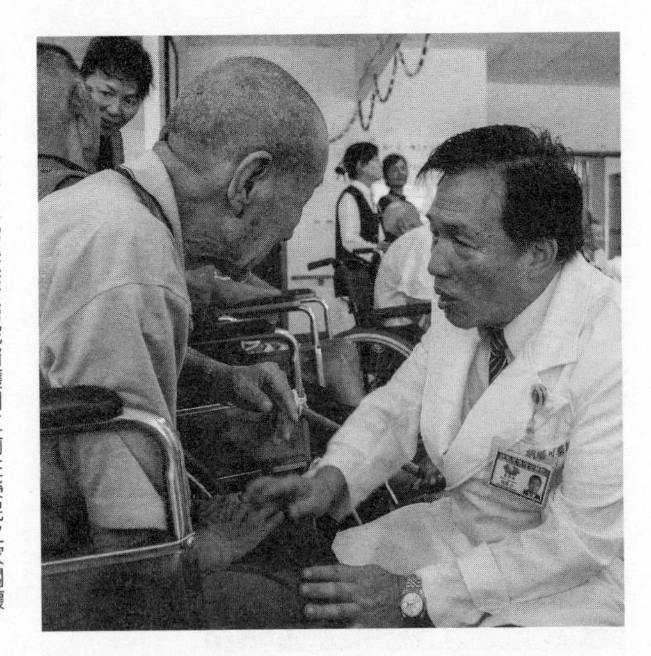

上／二〇一〇年，大陸蘇州兩岸聯合義診，特地為長橋醫院醫護人員介紹最新的急救法。

下／二〇〇八年，受邀到桃園靜思堂為心肺復甦術（CPR）研習課程進行教學。

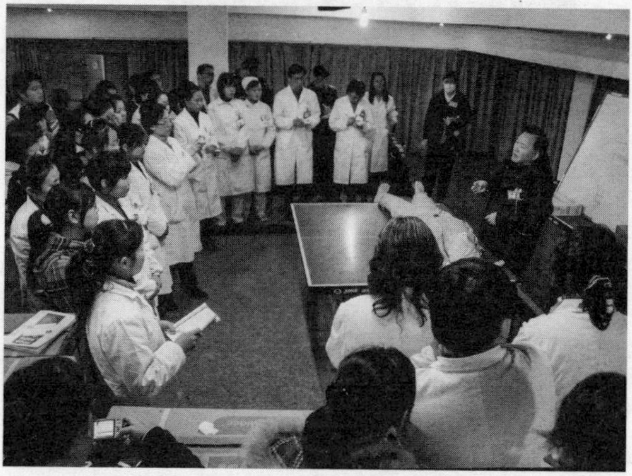

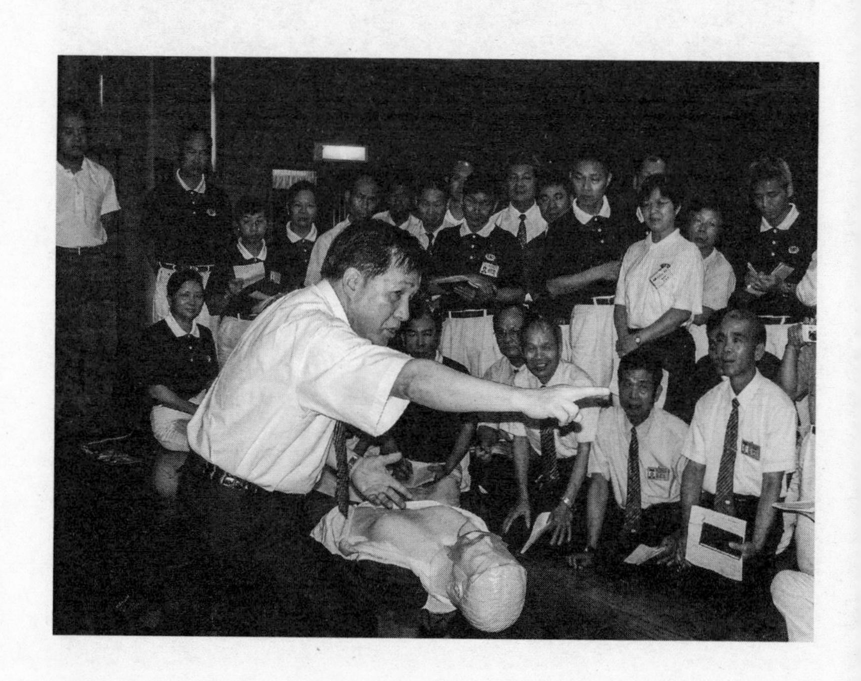

上／二〇一一年，花蓮慈濟醫院消防演習，總指揮官陳培榕副院長（左二）、救護組章淑娟主任（左三）、急診室主任胡勝川（右二）商討緊急大量傷患的狀況。

下／二〇一二年參加浴佛大典，至誠發願。

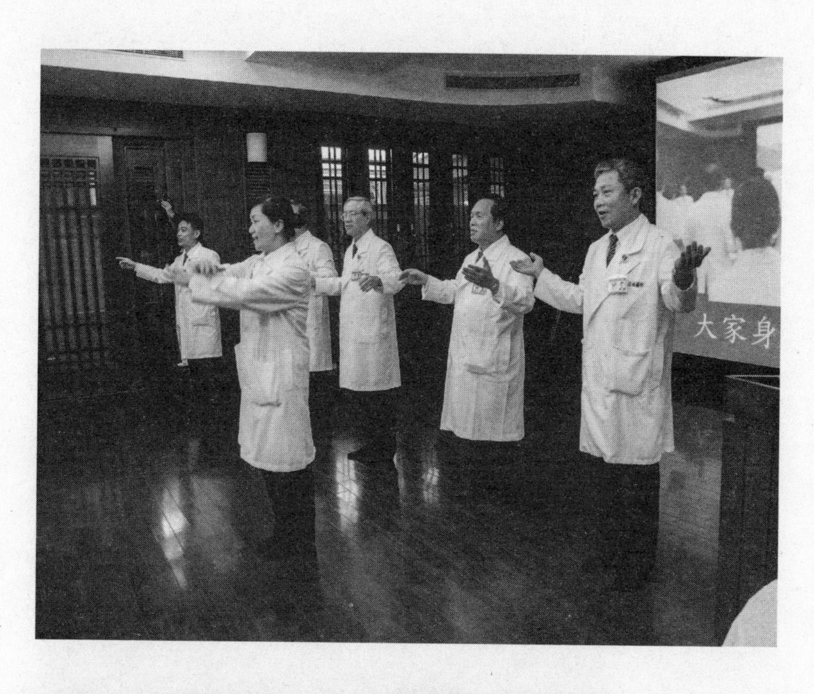

上／二〇一一年合心共識營，胡勝川（右二）和醫師們帶動大家比手語。
下／二〇一一《慈悲三昧水懺》入經藏演繹，花蓮場次。
（陳李少民攝，慈濟基金會提供）

上／自言「生性並不浪漫」，但夫妻在平實的互動中鶼鰈情深。

下／二〇一二年，國防醫學院醫學系M66級畢業四十周年同學會。

胡勝川醫師

推薦序

搶救生命的先鋒

衛生福利部部長　邱文達

急診室提供全天候最即時的緊急醫療照護，總圍繞著緊張的氛圍，必須與時間賽跑搶救生命。醫療志業，在這重視品質的時代，急診醫療憑藉醫學教育、評鑑等制度的成熟，對於緊急醫療照護，我們擁有高水準的醫療服務及信心，實乃國人之幸，我由衷感佩急診同仁的貢獻，守護寶貴的生命，未來將更致力使緊急醫療體系更臻完善。

胡教授致力推動急診醫學近三十年，是臺灣急診醫學領域的先驅，今他將一生行醫心路歷程與臨床實務經驗撰寫專書，其獨到見解與豐富閱歷，讀者必當獲益良多。

本書闡述著臺灣緊急醫療體系的進化，自他赴美學成歸國，稟賦俠義熱情的個性及前瞻的遠見，為緊急醫療耕耘從未停歇，包括推動緊急醫療救護（EMS）、引進高級心臟救命術（ACLS）、救護技術員訓練（EMT）、參與醫院評鑑、強化到院前救護、防制急診暴力等歷程。另外，書中也體現出第一線人員、管理者、經營者等多面向角色及感觸，點滴精華，寫實記錄。

胡教授畢生投入急診，也是個完美主義者，今著作又再豐富自己的經歷，欣見書成，樂為作序，相信此書值得實務工作者參考與學習。

推薦序

急診心 人文情

慈濟基金會醫療志業執行長 林俊龍

臺灣第一位急診專科醫師胡勝川教授，自臺北榮總服務開始，即推動組織急診醫學會，致力於臺灣急診醫學與臨床三十多年，對急診的熱愛與付出有目共睹。胡勝川教授是臺灣的急診醫學科中第一位取得教授資格的人，急診醫學專業著作等身，培育醫學後進，貢獻卓越。

更要感恩胡勝川教授十八年來，發心立願駐守花東，打造花蓮慈濟醫學中心，成為東臺灣急重症醫療後送堡壘，從急診制度的建立、實施，到住院醫師的訓練等，完整建置了花東急診醫療體系。由於花東縱谷狹長，人口稀少，醫療資源匱乏，臺九線上，有花蓮、玉里、關山三

家慈濟醫院合心協力，並配合其他地區醫院，聯手搶救無數東臺灣民眾的生命，勇於承擔起急重症救護的醫療使命，

每逢冬季，急診經常收治從合歡山送來，因賞雪而得高山症的病患，由於山路蜿蜒又遙遠，時有遺憾發生。為此胡教授發起雪季醫療，初期皆由花蓮慈院急診部獨力承擔，再逐漸為相關主管機關所重視，徵詢其他醫院加入，輪值守護。就是這樣捨我其誰的氣慨，感動同仁紛紛報名加入；也感動靜思精舍師父準備滿滿的食材補給，讓醫護帶上合歡山，除夕好圍爐。

我相信，胡教授來到慈濟的最大收獲，應是受證為慈濟志工，職志合一，成為證嚴上人的弟子。胡教授個性豪爽直率，對上人的敬佩也直接明白。二〇一二年初，胡教授應我家夫人的邀請，參與了在花蓮的《慈悲三昧水懺》手語演繹。其後，胡教授經常在公開場合分享，包括對醫學生、住院醫師等；更曾投稿，分享心得。他寫到：「經過數不清

次數的練習，我逐漸進入歌曲和歌詞的意境，體會到水懺故事的內涵，深深的震撼了我。我再三地拜讀經文，想看看有無我立即且很明顯要改的缺點，果然發現『暴躁習性常傷人、強悍蠻橫失柔和、易忿難悅多含恨』這些我一直深為所苦的習性。」；「既已入經藏並且懺悔，我發願要『口說好話、不發脾氣』，常記『忍一時風平浪靜、退一步海闊天空』，要『得理饒人、理直氣和』。」當眾發露懺悔的勇氣，令人敬服。

適逢胡教授退而不休之際，胡教授將自己對母校及慈濟的感恩、對急診醫學的熱情，加上為臺灣建立全方位急診體系、為急診增添人文的珍貴回憶，配合三十多年從事急診臨床的豐富經驗，以回憶錄方式著書分享，適合大眾展卷閱讀，謹為序推薦之，感恩。

推薦序

霹靂手段 菩薩心腸

慈濟醫學中心院長　高瑞和

狄更斯小說《雙城記》開頭寫著：「這是一個最好的時代，也是一個最壞的時代。」臺灣醫界目前似乎也是處在於這樣的氛圍當中。然而回顧人類歷史，總是有遠見之士，以其堅強的意志力與非凡的熱情，在最壞的時代當中開創出最好的時代，胡勝川教授就是這一類的人物之一。

臺灣醫療本沒有急診專科醫師這一回事，當年各大醫院的急診室都是由內、外大科的醫師輪流去值班，由於是輪派制度，因此醫師多半是抱著支援的態度去從事這件事，因此在急診醫學這一領域就缺少獨立發展的動力。胡教授本是一名心臟內科醫師，但他當年看出臺灣醫療在這一領域上的侷限性，認為唯有從眾多科當中將急診醫學獨立出來，建立完善的急診專科醫師訓練制度，否則永遠是當小媳婦，而臺灣民眾的生命、急救的品質將無法提升。

憑著一股熱血與理想，以及運籌帷幄的智慧，胡教授在萬難之中建立起臺灣的急診醫學，這些過程都寫在這本書中，胡教授也是臺灣第一位急診醫學科的教授，因此他被尊稱為「臺灣急診醫學之父」是實至名歸。

當然建立制度是一回事，如何延續，且面對時代變遷接踵而來的挑戰，又是一回事，胡教授並不以建立制度為滿足，他是希望急診醫學在臨床、教學、研究上都能達到國際水準，因此他三十年來孜孜不倦地推動各項改革，包括法律的修訂、教學的規劃以及緊急醫療責任網的建立，一路走來始終如一。

我有幸與胡教授在慈濟醫院共事多年，深知他擇善固執，見義勇為，不屈不撓的個性，但鐵漢柔情，在剛毅的面孔下，其實他有一顆溫暖慈悲的心。清朝名將胡林翼言「以霹靂之手段，行菩薩心情」，是胡教授最好的寫照，對於後輩的提攜更是不遺餘力。如今胡教授將這三十年來推動急診醫學的過程及其個人之經歷書寫成書，不啻為臺灣醫界這一段歷史留下見證，為後進學子、社會大眾甚至政府機構提供一寶貴的參考史料，為此我們都應該為胡教授喝采，感恩他對我們醫界及臺灣人民健康的貢獻。

自序

急診室不是一天造成的

每個人或多或少都有進急診的經驗，你對急診的印象或許不是很好，但是當你瞭解了急診不為人知的一面，你當會為他們犧牲自我、在艱困的環境中二十四小時守護著社區鄉親的生命健康時，心中自然會升起一股體諒與尊敬之情。當瞭解了三十年前的急診是什麼樣子，你會慶幸身處的年代。誠然急診還有很多不如人意的地方，我們將持續推動改革，真正做到「以病人為中心」的普世價值，急診醫師們以「搶救病人的生命、維護病人的權益」為己任。本書就在告訴你在這大時代中急診蛻變過程的點點滴滴，期能增進眾人對急診醫師的瞭解，對於促進醫病關係、減少醫療糾紛或將有所助益。

我出生於顛沛流離的年代，生長於清貧守分的家庭，求學、做事俱皆一帆風順。既非政府要員，又非知名度高的社會名流，未幹過轟轟烈烈的大事，生活平靜得就像一灘死水，如此平凡的人生也要寫回憶錄，豈非癡人說夢！

我的前半生確實不足道哉，然我的後半生致力於急診醫學之推動、緊急醫療救護服務之建言、高級心臟救命術之推廣，在醫界也有不少知音，我的某些言行也頗能激起一些漣漪。如今看到急診的運作和到院前救護逐漸步上軌道、高級心臟救命術更是發揚光大到極致，心中更是感慨良多。有誰能想像我昔日推動之艱辛，有多少不足為外人道之心酸，似此等不能說的祕密，盡可藉「回憶錄」的方式還原事實的真相，並做為歷史的見證。再者，有很多同道經常問我「為何要進入慈濟？」我從來沒有認真的回答過他們，在本回憶錄中我有發自內心的剖析。

本回憶錄旨在闡揚我的理念，記錄發展暨推動理念的過程，讓讀者瞭解「羅馬不是一天造成的」。藉由多方面各種管道宣揚理念，除了讓後生晚輩了解「創業維艱、守成不易」的真理，也讓他們了解「百折不撓、愈挫愈勇」的精神，以及「成功不必在我」的胸襟。

此外，本書詳細地道盡我經營急診的理念、方法，尤其是在服務、教學、品質指標和評鑑方面，文章處處可見我的心血及心路歷程，可做為急診管理的參考書籍，希望能對急診經營者和全體急診專科醫師有所幫助。

「急診」是否一定得像菜市場、車站、戰場、股市交易場，急診醫護人員的講話是否一定得大聲、像說教。事實上，急診也有它溫馨的一面，請看本書〈急診百態——小故事談因應之道〉章節（一七七頁）就可得到印證。如果急診人想讓人們改變對你們「急診」刻板的負面印象，或者讀者想知道更多的急診醫病溫馨故事，請參閱本人的另本著作《關鍵時刻》（二〇〇七年原水文化出版），你將可了解到更多發生在慈濟急診室的可歌、可喜的真人真事。

寫回憶錄的另一主要目的是「傳承」，做為胡家血脈的一子一女——小雨和小慧，要讓他（她）們更了解父母和祖父母的一生。我的一生有成功、有失敗，我們的優點要保持並發揚光大，我們的缺點則要改正過來，希望我們的下一代是「一代比一代強」。所以我把平凡的前半生也做了一概括的、重點式的敍述，希吾兒能體會父親的用心良苦。

回憶錄總字數計達約二十萬字，為免書本過厚不易攜帶，特將在榮總與慈濟服務時的點點滴滴，和一些輕鬆的話題，例如我的前半生、急診人文部分，歸在一起是為感性冊，即此書；與推動理念有關的議題歸在一起，是為回憶錄之理念冊《急診的蛻變》。此二冊可以分別獨立來閱讀、也可以互相呼應地印證或交叉閱讀，供不同興趣的朋友做不同的選擇；此外，第三冊為別冊，名為《胡思．生命風景》，係與理念、榮總、慈濟無關的一些雜文，特別包含了懷念親人和居家生活部分。

在緬懷前輩創業艱辛之際，更要珍惜得來不易的成果。如有我未完成之心願，又是對全體急診人、急診病人有益之事，望能努力完成之。各位急診主管或準備做主管的人看了本書，希望能為您激起一些火花、產生一些靈感，讓您更能得心應手的經營急診。

胡勝川　序於花蓮胡盧

註：《急診的蛻變》及《胡思．生命風景》二書，由金名圖書公司經銷。

目次

前言

合歡山上一場雪

一九九八年下半年間，太魯閣國家公園管理處（簡稱太管處）召集花蓮縣各相關單位開會，研商如何支援合歡山雪季的「緊急醫療救護」（Emergency Medical Services, EMS）事宜，因為在雪季期間，曾有一名遊客因高山病在山上往生，在雪季勤務檢討會議中，大家希望有醫護人員能在山上服務，以避免類似事件發生。

花蓮慈濟醫院對旅遊風景區的「緊急醫療救護」也很認同，當時我已在急診部門服務了兩年，一聽說可以到合歡山上去救人，正與我的理念相符，二話不說爽快地答應下來，眾人共同成就了這一樁合作案。從此每年一、二月雪季的假日，就有「緊急醫療救護」團隊在合歡山莊為遊客、當地工作人員們解決病痛，開啟了醫護人員在合歡山上服務的先河。

「緊急醫療救護」團隊，由一位急診醫師及兩位急診護士組成，於每週六、日上山，為遊客及當地居民服務，這種服務方式實施了兩年，成效不錯，再也沒有人因為遊合歡山而不幸往生，其中更救回了好幾條寶貴的生命。

還記得剛開始，只有慈濟醫院承擔著整個雪季期間的「緊急醫療救護」重擔，但那時的慈濟急診也才剛起步，本身並無足夠的急診專科醫師，於是我向臺北榮民總醫院借將，高偉峰醫師、郭健中醫師二話不說就答應前來支援，他們跟我一樣流著「急診」的血，義不容辭、拔刀相助，不講條件，利用自己的休息時間，還大力鼓吹介紹其他急診同事加入，一起完成任務，在好友的熱誠協助之下，我召募急診醫師的工作一點也不費力地就完成了。

慈濟急診護士也一樣不計較報酬、利用自假加入這個團隊，最令我印象深刻的就是涂炳旭、蔡雅雯、曾淑萍等等熱血的護理人員。

那時候，每週六早上五點，天尚未破曉，團隊成員就到達急診門口集合，開始清點所需攜帶的器材，坐上專用的救護車，在眾人都還在「鼾」睡的時刻，迎著暮色在黑鴉鴉的天色中出發了。途中我們看到了無數個曙光初露的山巒及黎明初升的太陽，八點不到便已經到達合歡山莊。第一年我們是在大禹嶺的醫務室設站，但因為合歡山莊的遊客較多，且高山症大多是在晚上發生，故第二年以後便選擇合歡山莊作為診療的場所。救護車到達合歡山莊後，我們立刻在門口拉起了服務的布條，將山莊大廳布置成簡易的救護站。

二〇〇二年到二〇〇六年間的合歡山雪季醫療邁向制度化，太管處與花蓮縣衛生局合作，利用全縣的人力資源投入雪季期間的緊急醫療救護工作，我個人的負擔頓時減輕了不少，在這之前的出勤人力安排上，幾乎完全要靠著個人的人脈，幸好都能順利完成任務。

從二〇〇七年開始，已經有四家醫院願意共同承擔合歡山的雪季醫療，人力資源豐沛，不再只是假日才有緊急醫療救護，雪季期間每天都有醫療團隊在山上服務，讓合歡山「緊急醫療救護」進入新紀元，一想到有這麼多醫護人員，願意如此無私地上山守護民眾的健康，真是令人相當欣慰。

只不過，雪季包含了「過年的假期」，中國人的習慣總是希望過年期間全家團圓、吃年夜飯，尤其是除夕及初一，所以這個檔期，沒有人會自告奮勇報名，身為主管總不能強迫別人，於是這種「黃金檔期」只好留給自己了。所以到目前為止，我已經在合歡山過了三個「年」。

二〇〇七年初我出勤的日子是從小年夜的前兩天開始，一直到年初四，一共七天，是有史以來最長的一次，為了讓同仁回家過年，老婆體諒我的辛勞，又怕我得「思鄉病」，決定拉著兒子上山跟我一起過新年、一起圍爐。這下子，除了女兒已嫁人，在她夫家過，我們全家都到齊了，想想全家人在合歡山上圍爐，別有一番滋味在心頭！尤其溫馨的是，我們圍爐的菜及湯頭是靜思精舍師父秉承上人的關心及愛心所準備的。

內人及小犬是在我上山後的第三天才來，兩人一上來就得了嚴重的高山症，經過我細心的醫護及自然的適應，總算逐漸好轉。接下來的日子中，我帶他們去爬山，登上了石門山及合歡主峰，這是他們兩人的第一次登山，我心中的喜悅及激動更甚於他們。歡樂的日子總是特別短暫，他們終於要下山了，我帶著依依不捨的心情目送他們離去，繼續留在山上、堅守我的崗位，為病患服務。

嚴格說來，在山上的日子是孤寂的，因為病患不多，平均每天五到十人，而且大多是在一波波遊客上山之後，產生了高山病，實在受不了才會到診療室報到，所以倒是有許多時間可以自由運用，我把握機會完成了兩篇教學檔案、修改好一篇住院醫師的論文、看完一部長篇武俠小說。

記得小年夜的午後四點左右，一位年約三十五歲的小姐來到診療室，主訴氣喘、呼吸困難。肺部聽起來沒有囉音或喘鳴音，病患也沒有感到頭痛或噁心嘔吐，我判斷這是一個比較嚴重的高山症——高山肺水腫，按學理如果是高山肺水腫，應該趕快下山接受住院治療，但是病患外觀看不出呼吸快速的樣子，應該是比較輕度的高山肺水腫，為了不打斷病患遊山的雅興，我想若能就地治療，她就不必下山了。於是給病患兩種常用的治療高山症藥物及氧氣治療，病患吸了氧氣之後，感覺逐漸在進步之中，足足吸了三十分鐘之後，感覺好多了，就回到房間去休息。

過了一會兒，又有人在敲門，原來是剛剛那位病患，她說呼吸又變得困難了，我內心開始掙扎，到底是繼續治療，還是用救護車送她下山？陷入天人交戰的我，先將思緒歸零，開始為病患做詳細的身體檢查，發現還是沒有囉音、沒有明顯的呼吸加速現象，表示高山肺水腫的情況不是很嚴重，我決定再持續進行治療，於是又給了一劑藥物與氧氣。這時病患的血氧飽和度可以到達百分之一百，這個指標鼓舞著我不要輕言放棄。

吸了一個鐘頭的氧氣之後，病患覺得好多了，我問：「要不要把氧氣機推到你們的房間去用？」他們回答：「先回去休息再說。」我又慎重地說：「如果晚上仍然呼吸困難，最好下山比較安全。」之後整個晚上，我都睡不安穩，心中惦記的是那位病患的狀況。第二天一早，看到那位令我牽掛的病患，有說有笑地一邊吃早餐一邊聊天，狀似愉快，我趕快詢問：「昨晚睡得可好？現在還喘不喘？」她回答說：「睡得很好，現在一點也不喘，呼吸非常好，謝謝你！」我終於放下了心裡的一塊石頭。

「緊急醫療救護」是民眾的安全網，高山地區的「緊急醫療救護」更是我們要加強的地方，這一切都要感恩很多人的成就，包括急診室的醫護同仁，有上山的助我完成了雪地醫療的使命，沒有上山的把急診室的「家」顧得很好，整個過年期間雖然病患一如往昔的多，卻一切運作順暢，使我無後顧之憂。

到了第八天，吃完早餐不久，正在打包行李並等待另一批同仁來接班，忽聽見有人大喊：「下雪了！下雪了！」我立刻奔到外面去，果然看到雪花紛紛自天而降，過不了多久，滿山遍野一片白茫茫，猶如鋪上了一層白紗，美得讓人不忍離去。此情此景，令我想起古人有詩云：「淵冰厚三尺，素雪覆千里。我心如松柏，君情復何似？」

從一九七二年國防醫學院畢業至今，四十多年的從醫生涯中，有二十多年都在推廣急診醫學的理念。因為一九八八年，我從美國學成歸國，就致力推廣急診醫學在我國生根發展，雖然開啟了我國發展急診醫學的濫觴，過程中卻遭遇難以言盡的挫折，有時正如寒雪一樣冰冷，但是我想推廣的信念，和松柏一樣堅毅，因為急診的核心價值，就是「搶救急診病人的生命、維護急診病人的權益」，只有建立可長可久且完善的制度，為醫學界培養優秀的急診專科醫師，才是病人之福。

在醫療這條路上，我心如松柏，即使退休了，只要仍有需要，我還是會盡心投入。所謂「有夢最美、希望相隨」，每個人在不同的人生階段，都會有夢想和理想，只要努力去實踐，這樣的過程就是成功，才不虛度此生。

第一章　猶記青青少年時

遷徙　沒根的浮萍

一九四八年九月二十七日，我出生於南京市，斯時正值國共內戰，國民政府軍隊節節敗退之際，於是，一九四九年舉家隨著父親的部隊來到臺灣。在那個動盪的時代，外有八路軍尾追不捨，內有土匪趁機打劫，又要面臨船行之間無情的海浪吞噬，我能活下來實屬萬幸！母親自重慶老家帶出來的僅有黃金，在逃難途中就被洗劫一空，讓日後的生活更加苦難。

雖然安全來到臺灣，卻已是一貧如洗，只能靠著家父微薄的軍餉過日子。我們居無定所，跟隨父親的部隊移防而搬遷，每一個地方大約停留一到兩年，搬家變成家常便飯。國小一年級讀的是彰化南郭國小，國小二、三年級念的是高雄鳳山民權國小，雖然每天要走路三十多分鐘才能到學校，但我們家小孩很獨立，都是自行上下學。有一天傍晚放學後，一直到天黑都不見妹妹鄂華回到家，大家都很緊張，因為學校離高雄市很近，跟我們家是相反的方向，有可能走了反方向。於是爸媽到高雄市的派出所一間間詢問，我們則在家等待消息。到了晚上九點左右，皇天不負苦心人，終於見到爸媽領著妹妹回家，原來她出校門後果真走向相反的路，在大馬路上不知所措，被警察伯伯帶到派出所，等待家屬來認領。

眷村的日子

不斷的遷徙像是沒根的浮萍，直到一九五七年因父親調防而全家搬到臺南，才算結束了這種飄泊不定的日子。我們住進了全部是軍人眷屬所住的村子，俗稱「眷村」，名曰：「中正新村」。

由於每一戶房子坪數都非常小，致使大家亟欲拓展版圖到極限，也因為太接近，前後左右鄰居發生了什麼事都難以隱瞞，這也拉近了眷戶之間的感情，雖非一家人卻有「有福同享、有難同當」的感覺。一家包餃子，左鄰右舍也都有餃子吃；一家在打孩子，也會有人去說情。如此近距離地生活在一起，優點是感情緊密相連互相照顧，缺點是沒有隱私，難免聽到東家長西家短的流言蜚語，而容易造成誤會。因此大人們吵吵合合的戲碼是常有的事，本無深仇大恨，只因誤會而爭吵，很快地就會和好如初。

最讓我感到害怕的一次，是村長伯伯拿著菜刀去追殺他們家對面的「老油條」伯伯，此二人都屬於兇悍的大嗓門型人物，一個在賣豬肉、一個在賣燒餅油條，本以為即將有命案發生，沒想到過沒多久又看到他們二人坐在一起打麻將，大人的事情還真的令小孩搞不懂。總之，眷村文化幾十年來，揉合了革命情感、守望相助、資源分享、吵吵合合等剪不斷、理還亂的複雜情誼。

眷村裡，除了少數高階軍官外，大多數人家的日子都非常清苦，所以家家眷屬都會兼營家庭副業，有的賣鞋、賣菜、賣豬肉、賣油條或者開雜貨店、小吃店……等等。我的母親為了撫養七個小孩，單靠父親少校的薪餉是不夠的，每天早上天沒亮就起來準備賣豆腐、豆干及豆芽菜，直到過午才回家，下午到工廠刨生薑，晚上還拿些手工藝到家裡來做。母親因日夜操勞，不到四十歲就被鄰居們喚做「胡老太太」，猶記當時初聽此外號時，小小年紀的我簡直心如刀割，既心痛又不捨。每逢星期假日不必上學，我會和母親一同到工廠刨生薑，這是我生平第一次打工，雖然刨生薑的過程會讓手及上臂很癢很不舒服，但想著可以幫媽媽賺點外快貼補家用，也就無怨無悔、甘之如飴。

眷村生活的另一特色就是打麻將，在星期例假日或每日的夜晚，只要順著巷子走一遭，清脆的洗麻將聲音總是不絕於耳，似乎大人都愛好此道，有的賭得太大，因此弄得傾家蕩產者大有人在，可以說給小孩帶來不良的示範。我母親也是此中的愛好者，且是個中高手，她牌藝精湛，十賭九贏，但是打得都不大，我們也就沒有阻止，當作是娛樂，反而鼓勵她去打牌，否則她的日子真的過得太辛苦了。

雖然親戚朋友、左鄰右舍都好打麻將，我和父親卻不會，父親還有些痛恨打麻將。麻將雖有萬般的壞處，卻帶給我唯一的好處，因為晚上如待在家裡，聽到的都是麻將聲，於是我養成每晚到「南二中」的教室去看書的習慣，即使高中已讀「南一中」，我還是習慣到較近的「南二中」去晚自習。

「過年」是孩提時候最盼望的日子，可以穿新衣、戴新帽，還有壓歲錢可拿。在眷村裡年初一一大早天微亮，鞭炮聲就劈里啪啦的響個不停，過沒多久就會看到熙來攘往的人們，成群結隊的在村內的小巷裡穿梭，原來他們要挨家挨戶的到每一個鄰居家去拜年，可是遇不到要拜訪的人也是常有的事，因為大家都外出拜年，家裡只留下較小的小孩。有一次看到對門張家的四個大男孩一起出門去拜年，張家男孩個個高頭大馬，四個人一字排開同步前進，甚是好看、更是壯觀。只是這樣的拜年文化隨著時代的變遷逐漸淡薄，真是令人不勝唏噓，如今只有在夢中去懷念這些美好的日子。

除夕夜家家燈火通明，嘻笑聲及麻將聲不絕於耳，家庭氣氛顯得和樂融融。家中的長輩們開始發「壓歲錢」，然後輪流打起衛生麻將，以度過守歲的漫漫長夜。小一輩的則玩起「擲骰子」的遊戲，我因不會打麻將，就加入「擲骰子」的行列，我儼然成了孩子頭，小孩們都喜歡跟我玩。「擲骰子」即使玩輸了我也不會生氣，就當是發紅包給小輩們，玩贏了我也會把贏來的錢還給他們，總之大家高興就好。

隨著孩子們逐漸長大成人，每個家庭都已是三、四代同堂，有的雖然平時沒有住在一起，過年也都會回來團聚，回到兒時的所謂「眷村」，實際上住的是原來眷村改建的「國民住宅」。在我的家庭，「打麻將」依然是主流娛樂，能陪奶奶打麻將是兒孫們的福氣，我們非常珍惜。「發紅包」則是兒孫包給爸媽、爺爺奶奶，「反哺」的意味濃厚，感恩我的家庭教育還不算失敗。「擲骰子」的樂趣只有去夢中尋找，因為昔日跟玩骰子的小孩如今都已是青年人，各自都有自己的朋友，想要叫他們陪我玩幾把，怕是比登天還難，再重的「利誘」他們都不會答應的，這就是時代的潮流，不能不順應。我們不會打麻將的夫妻二人，只好苦守在電視機旁，陪著每年都雷同的「新春特別節目」，度過漫長的一夜。

住「中正新村」期間有一段難忘的恐怖日子，至今想來仍然心有餘悸。我們的隔壁住了一戶人家，有一對非常調皮的小孩，其年歲比我還小，可是天不怕地不怕，在我們兩家之間的泥牆挖了一個大洞，還往裡面小便，向對方家長反應，結果他們招致一頓毒打，可是沒多久又故態復萌，當時真的氣到想把那兩個小孩揍一頓，可是又不敢對他們太兇，他們可是村內有名的混混，犯不著跟他們拚到魚死網破、同歸於盡。在這種恐怖陰影下過了好幾年，直到他們搬家，才又恢復平靜的日子。這件事在我小小的心靈埋下了「我要學功夫」的念頭。

求學時期

搬到臺南後轉學到公園國小讀三年級，住家距學校有一段不小的距離，每天總要走三十多分鐘路程，經過省立臺南二中，又穿過臺南中山公園才能到達學校，該校是臺南市的一所具悠久歷史的小學，校內師生絕大多數是久居古都的臺南市人，當時政府在推行國語，上課都是用國語教學，下課時同學交談則國臺語並用，班上只有少數幾位像我一樣背景轉來的「外省仔」，小孩子玩在一起，學語言是很快的，我的臺語就是這時候學會的。不過，自小我的個性就是木訥寡言，下課時同學們大都到教室外走廊或操場嬉鬧，唯有我孤獨的坐在課桌椅上發呆，或觀看同學們玩得不亦樂乎的身影。

國小畢業考取了南二中之後，上課讀書、下課打球、回家溫習功課，生活倒也規律，不過我熱愛打球，放學後總是在學校打籃球直到天黑才回家，因此練就了一手好球藝。當時投球神準又很拚命，因此在同學之間搏得了「拚命三郎」的稱號，這幾乎是我求學時期唯一的課餘嗜好。我曾經得過全校初中部英語朗誦比賽冠軍，也得過全校國語朗誦比賽優勝第一名，但那時候很流行補習，並不是到補習班而是到老師家去補習，看到同學都去，深怕輸在起跑點上，我向母親苦苦哀求，希望能去數學老師家補習，母親禁不起我的一再哀求就答應了。那時還沒有什麼感覺，如今回想起前塵往事，心中仍有一絲的痛，並感受到母親的偉大。母親平日含辛茹苦工作，還要經常拋頭露面去賣菜，家中經濟狀況是很倜促的，我卻還要求去補習，如今想來，才知道自己很自私也很不懂得體諒大人的辛苦。

當時在學校加入幫派甚是流行，年少輕狂的少年們逞勇鬥狠都是以「拳頭」為主，很少看到「動刀」，更遑論「亮槍」。剛開始看到同學臉部青一塊、腫一團，有時身上又裹上了紗布，起初還不知發生了何事，後來才知道那是「單挑」或「群毆」的結果。但我絕不參與這些幫派，也許是因我當時長得矮小，幸好也沒有人主動找我「入夥」。可是我怕被別人欺負，再加上自小就留下了「要學功夫」的意念，剛好有一位很要好的同學，拳擊打得不錯，有一天邀集我們幾個好友到他家去練拳，當大夥結伴騎腳踏車到達他家，才發現這裡的眷村非常漂亮，像極了鄉村別墅，原來是國防部為國軍將領所蓋的眷舍，不同於我們校級軍官住的宿舍。很遺憾那天沒見到同學當「少將師長」的爸爸，料想必定長得非常英挺威嚴。我們在他家盡情地玩耍，這還是我生平第一次接觸拳擊手套，同學也示範教了幾招，讓我對拳擊產生了濃厚的興趣。我的初中生活過得很單純，不是看書、就是打球，交的都是球場上的朋友。三年下來結算成績，我總算名列前茅。

此時正值學校改制，政府實施「省辦高中、市辦初中」，我成了名符其實的「省中末代初中畢業生」，時值一九六三年。

南二中初中畢業，我獲得免試直升高中部的機會，因為想更上一層樓，便放棄保送而去報考高中聯招，也終於考上第一志願「南一中」。非常高興看到班上同學名單中有「周懷南」的名字，他是我的初中同班同學，個子高高的、戴了付寬邊近視眼鏡，長相看起來非常斯文，他對我非常照顧，凡有同學欺負我，他總會挺身而出幫忙，有些江湖豪氣的感覺。有一天我們在學校操場上打籃球，突然間我跌倒在地，右手前臂看起來明顯的彎曲，周兄立刻背起我到附近的國術館推拿、固定，然後送我回家。隔天家人帶我到陸軍八〇四總醫院看骨科門診，照過X光證實是橈骨骨折，此後三個月就與石膏為伍，因為無法騎腳踏車到學校，母親包了一輛三輪車送我上下學，在當時坐三輪車是有錢人的享受，所以我坐得很不自在，總覺得很丟臉，跟我的身分不相襯，直到三個月後石膏拆除為止，這期間周兄也經常來家看我，我們全家對他是心存感激。

高中時候的課餘嗜好仍然是打籃球，每個星期六、日的下午，總會騎著腳踏車到成功大學的籃球場，那時成大的籃球場位於校園內中央大道近小東路側門的一端，四個籃球場緊鄰著一字排開，一到假日全擠滿了人，只要有人在玩球就可以加入，不用在意原先認不認識，肯定以後有可能會變成好朋友，年輕人就是這樣的豪爽，真的是「以球會友」。

大專聯考放榜了，其結果令我大失所望，沒有考到我所喜歡的學校及科系，正在懊惱沮喪之際，接到軍校聯招錄取通知單，我考上了國防醫學院醫學系。全家開始討論我到底要讀軍校還是文學校。當時一般人的想法，以為當軍人很辛苦而且待遇不好，我則不會在意辛苦與否，因為在眷村長大，從小就養成了吃苦耐勞的習性。

於是我很快決定「從軍報國」，父母親都支持這個決定，我的理由有二：一、讀軍校不用交學雜費，每個月還有薪水可領，可以減輕家裡的負擔；二、軍校畢業馬上就有職業，不必擔心畢業即失業的問題，而且十年退伍後開業做醫生也不錯。那時對國防醫學院的瞭解不多，只知道畢業後的職業是軍醫，專門為軍人及眷屬看病。常聽別人談到學醫的「初發心」，多半可聽到感人的故事，我並沒有那麼偉大，就是「考上了醫學院」而已。

實話實說，做醫生我並不排斥，但也談不上有多大的興趣，或者說有多麼崇高的理想或抱負。

不過，當時考上國防醫學院的消息很快就傳遍了全村，村裡的同學或長輩見了我及父母，都投以欽羨的眼光及祝福，我能感受到他們的善意，父母也感到很光榮。為了展現我是一個有教養的小孩，同時報答村人對我的期待，所以我在報到日期的前一日，於全村挨家挨戶地逐一向長輩們辭行，感謝在眷村的日子裡，受到大家的關懷和照顧。相信我的懇切言辭定能搏得一個美名，我成了村裡一個指標型人物。

難忘父親的背影

指定報到日的前一天晚上家裡燈火通明，全家都在為我的即將遠行而張羅，並帶著幾許感傷的心情。父親帶著我坐晚上十點多的夜車到臺北，一直坐到隔天早上七點多，一路顛簸終於到達臺北車站，在車站旁的盥洗室做了簡單的梳洗，然後坐公車到位於羅斯福路四段水源地的國防醫學院報到。這一路因有父親相陪，不特別感到離別的悲傷，直至分發到寢室擺妥行李，父親離去，望著他的背影逐漸遠離，我突然覺得好孤獨，四周圍全是不認識的人，加上全然陌生的環境，這是以前從未有的經驗。想著往後六年的獨自生活，家人離我是那麼地遙遠，內心充滿了茫然與不安，不禁潸然淚下，掉下了我成長後的第一滴眼淚。

父親從小接受私塾教育，出身於書香世家，具有傳統的儒家思想，此背景深深影響著他日後的行事風格，及長因國共內戰而投身軍旅，從二等兵做到中級軍官，以一個鄉下農村的小孩，沒有顯赫的家世背景、更沒有傲人的學歷，完全靠自己的進修努力，有此成績已屬不易，我以他為榮。

然而父親是個嚴肅、正直、不苟言笑、不善於表達的人，我們一向非常敬畏他，相對地，也無法非常親近，但是父親的一生都默默在為這個家努力，如今，親自從臺南陪我搭夜車，送我到學校安頓後才離去，望著父親的堅毅背影，讓此後離家讀書及工作的我，終身難忘。

入伍訓練——報告班長

報到後大約一星期左右，接到通知要接受入伍訓練，全體同學乘坐軍用大卡車被送到臺中火車站，會合了所有軍事院校的新生（三軍官校的除外），再被送往坪林的新兵訓練中心，從此展開了為期八週的軍事訓練，這也是我人生唯一的一次真正的軍隊生活。

入伍訓練的課程設計與一般的新兵訓練大同小異，有個人基本教育、打靶、刺槍術、單兵攻擊、行軍、夜間緊急集合、唱軍歌、思想教育等。據說教育班長對我們這些「軍校生」已經客氣很多，在《報告班長》系列電影裡一些耳熟能詳的術語，我們也都親身經歷過，例如「合理的是訓練、不合理的是磨練」、「吃苦當吃補」、「再混就要倒大霉了」、「給你方便你當做隨便」等。

有些年輕人不能適應這樣的生活，總是反抗、認為太無理，有的人甚至因而退訓，反觀我們這群眷村長大的孩子，大多適應良好。我更認為「新兵訓練」可以鍛鍊人的體魄，培養逆來順受、百折不撓的意志力和服從性。同時軍隊是「社會」的縮影，在軍中可以訓練人與人的互動，對人際關係的體認與增進有莫大的助益。

在受訓期間我加入了連上的籃球隊，代表第三連參與營區內的籃球比賽，最後雖然沒有得名，參與的過程才是最有趣的經驗。很巧合的是，本連的一位排長剛好和我住在同一個村子，他是官校正期班工兵科出身，家住在我家的前二排，算是滿近的鄰居。因這一層「同村」的關係，我感覺他似乎對我特別照顧。

總而言之，「入伍訓練」有趣又實在，人生一輩子只有一次機會，值得年輕人進去磨練一番。

醫學啟蒙 從牆頭麵到3G小童

國防醫學院是一所具有悠久歷史的軍醫養成學府。據學長的描述，它的前身是北洋軍醫學堂，其師資多數網羅自北平協和醫學院、湖南湘雅醫學院等名校，協和更是當時全中國最頂尖的醫學學府。抗戰勝利後接著是國共內戰，國軍節節敗退之際，國防醫學院於一九四九年自上海遷來臺灣，落腳於臺北市羅斯福路四段二十四巷的水源地，學校從無到有，當時費盡心力的院長盧致德將軍是國防校友一致公認的建校最大功臣，我在一九六六年九月進校時，已初具規模。

國防醫學院雖是軍事院校，但除了入伍訓練時有接受軍事基本訓練，在學校的課程幾乎與一般的大專院校無異。所謂的「出操課」，就好像一般學校的軍訓課，並沒有太嚴格，反而是時間上的規定比較嚴格，假日不得外出、晚上九點前一定要歸營、早晚會點名、晚上十點以後要熄燈。

這些規定對我而言，一點也談不上限制自由，且正好契合我木訥寡言的個性。我的生活本就單純得無趣，白天上課、晚上到圖書館看書，一熄燈就睡覺，假日也很少外出，最常做的事是在學校打籃球，在校六年期間，幾乎沒有交過女朋友、沒有談過戀愛。課餘嗜好除了打籃球外，我還參加「拳擊社」和「柔道社」等社團活動，大三時當了一學期的副學生長，這期間我學會了如何服務同學、如何與行政人員打交道，是一生中難得的經驗。

「爬牆」與「牆頭麵」

軍校生活雖不若一般大學的多采多姿，某些生活的點點滴滴，如今回想起來仍覺回味無窮，例如「爬牆」及「牆頭麵」是國防人共同的記憶。

話說學校規定超過晚上九點才回校，是要處分的，但是正在戀愛中的同學們，經常會錯過了歸營時間，為了規避處分，就用爬牆的方式翻牆進來，同學們知道了也都幫忙隱瞞，可以說是充分發揮了「同學愛」，也等於是國防人的「美德」一樁。

所謂「牆頭麵」更是有名，乃因每逢考試前幾日，同學都習慣地開夜車，讀書讀到三更半夜，民生問題是一定要解決的，同學們就會三三兩兩地自動組合，派代表到就近的圍牆縫隙，向圍牆外的賣麵老伯買麵，做好的麵就從牆頭遞過來，因此叫做「牆頭麵」。寢室照例過了十點是要熄燈的，但走廊的燈和樓梯間的燈不熄，即使考試亦不例外，於是樓梯間及每一寢室門口都擠滿了用功的同學，一邊讀書一邊吃牆頭麵，煞是奇觀。

不過我從不挑燈夜讀，很少吃「牆頭麵」，當然，以我木訥的個性，更不曾有「爬牆」的美麗回憶囉！

見習生涯不虛度

在校第五年，是一生中最愉快的日子，亦即所謂的「見習醫師生涯」（註二）。每天一大早學校派軍用大卡車把同學送到位於石牌的榮民總醫院，單是這一旅程就夠同學們興奮的了，等於是在City tour（城市觀光），臺北的主要道路、著名建築、景點都在這一條線上。

到達醫院後就沒人管你了，雖然同學們每個月都被分到一個科去見習，其實見習就是放牛吃草，那時沒有訓練計畫、沒有教學評鑑、更沒有TMAC（醫學院評鑑委員會），學不學得到東西全在自己是否夠主動，因為學長們都很忙，至少同學們一致都認為當時的榮總護士親切又友善，凡有問題請教，她們都會很客氣地回答。這裡的護士大多數來自臺中護校和臺南護校，這二所學校在當時就享有很好的口碑，而為了學得好的「打針」技術，我比平常還要早的時刻就到達病房，幫忙「IV班」的護士為病人打靜脈點滴，也幫忙實習醫師學長（註二）替病人換藥，早早練就實習醫師所必備的基本技巧。

3G小童

最後一年要選實習的場所，同學們可以自由選擇「榮總」或「三總」。因前一年在榮總見習，跟醫師、護士感情較深，我選擇「榮總」做為實習場所。實習醫師規定都要住在醫院裡面，於是我們搬離住了五年的學校宿舍，住到榮總的醫師宿舍。

當時的實習醫師在醫院內，可以說是職位最低的醫療人員，連護理人員都可以指揮我們，因是抱著來學習的心態，所以我來者不拒、不怨不尤。想起那時的日子，接一個新病人就忙翻天，除了要寫General

History（病歷），還要在病房護理站旁的小小檢驗室內親自做CBC（血液常規）、U/A（尿液常規）和stool routine（糞便常規檢查），這裡面有顯微鏡、離心機、抹片等設備，加上實習醫師白袍口袋裡必備的「血球計數器」，就可以完成以上任務，做EKG（心電圖）、ABG（動脈血檢查）和放NG（鼻胃管）等，更是實習醫師的基本功夫，所以護理人員常戲稱實習醫師為「３Ｇ小童」。實習醫師的雜事太多，每天忙得昏頭轉向，值班的夜晚完全不得休息，第二天還要繼續上班，實在辛苦，但大家似乎都能接受這就是實習醫師的宿命。還好榮總的教學活動很多，醫師和護士也樂於教學，我們在榮總紮下了堅實的基礎，要感恩當時的全體師長、學長和學姊們。

一年的「實習醫師生涯」過得非常充實，也很愉快。主治醫師、住院醫師和護士小姐們對我們都很好，除了教我們醫學知識和技術，很少見他們對我們疾言厲色。在榮總每個月還有一萬多元的薪資可拿（這也是在三總實習的同學所沒有的），這也是很多同學選榮總的原因之一。

我更懷念榮總的「宵夜」，它是免費供應給當天值班的醫師、護士、醫事和行政人員做點心的。每晚我一定等到十一點，去餐廳排隊拿宵夜，真是豐盛又美味。如果沒吃這頓「宵夜」，我真的還睡不著。

註一：現今改為「見習醫學生」。

註二：現今改為「實習醫學生」。

航醫生涯原是夢　儼然小飛官

一九七二年國防畢業後，我被分發到空軍某聯隊嘉義空軍基地醫院，這是個令同學們稱羨的軍種，可以不用到基層部隊、可以不用到外島。我們的基本任務就是負責飛行員的健康，又叫做「航空醫官」，簡稱「航醫」。

首先要接受為期一個月的「航醫訓練」，其內容包括——航空生理、空間迷向、彈射椅實習、水上求生等，其目的無外乎是要我們體驗飛行員可能遭遇到的狀況，比較有同理心的感受來照護飛行員，譬如說「水上求生」課程，就把我們丟到左營外海，身穿救生背心在海上漂浮，等待救援，因有死亡的陰影纏身，要很鎮靜地知道使用輔助工具來吸引搜救者的注意，才有生還的機會，這種獨特的專業知識，是航醫必備的。

航醫的首要任務就是要為飛行員的健康把脈，飛行員的當日健康狀況如何？能不能飛行？航醫必須非常清楚，如有病痛或身心狀態不佳，勉強飛行是很容易出飛安狀況的。現在回想起來覺得美中不足的是，如果「航醫訓練」能加上CPR（心肺復甦術）和ACLS（高級心臟救命術）訓練就更理想了。

國家真的對飛行員很照顧，還列有一筆經費專門購置高貴藥材給飛行員使用，由航醫決定購置的品項。為了掌握飛行員的身心狀況，我們被要求跟飛行員生活在一起，飛行員們對航醫都很友善、很禮遇，甚至做到「有福同享」的境界。耳濡目染之際，我們每天也打扮得光鮮亮麗、到飛行餐廳吃飯、腳穿高筒皮靴、眼戴制式飛行太陽眼鏡，好不威風，儼然一副小飛官的模樣。飛行餐廳就像是街上的飯館一樣，是要按菜單點菜的，做出來的口味比餐館的還好吃。因為飛行員每天體能的消耗很大，故而給予較好的伙食，以維持其體能。只有航醫被允許、甚至可說是鼓勵進飛行餐廳用餐，利用餐聚的時候跟飛行員話家常，瞭解飛官的身心狀態，這也是航醫的例行工作之一。他們的生活壓力真的很大，每次出勤都是一個壓力，沒有人敢保證能平安歸來，即使是平時的教育訓練亦然，故而每次飛行都要詳加記錄。

大多數飛行員都有及時行樂的人生觀，晚上有專車送飛行員到城裡休閒，周末營區內也常有舞會，他們也會邀請我們同樂。航醫生涯真的多彩多姿，除了吃喝玩樂，還要「體驗飛行」，我們飛的是俗稱「水鴨子」的水路二用的救難用飛機，還好它的飛行高度不是很高，如果是飛戰鬥機，我不敢肯定是否拿得到那「飛行加給」，因按規定每個月都要完成規定的飛行時數，否則是拿不到「飛行加給」的，這是一筆為數可觀的正薪外的額外津貼，也是其他陸、海軍同學們羨慕我們的地方之一。因為有優渥的待遇，再加上要臺南、嘉義二地的通勤之需，我於畢業後的一年內就買了一臺偉士牌機車。在那個汽車尚不普遍的年代，有機車可代步已屬少數，偉士牌機車更是機車中的「雙B」。感恩母親對我的溺愛，居然答應我如此奢侈的要求。

猶記得在澎湖駐防的期間，平常日子百般無聊，白天無所事事，晚上則看電視，每天所盼望的就是星期六的到來，因為每星期六都有舞會，我也跟著飛行員一起瘋狂，前一天還要陪承辦的飛官進城，我被賦予的使命是到澎湖海軍醫院邀請那兒的護士來做舞伴。因我們有學長、學妹的關係，通常都會圓滿達成任務。

航醫的另外一個任務就是負責跑道頭值班業務，因為一旦飛機失事，那兒是距離失事地點最近的地方，故要有萬全的準備，二十四小時有消防車、救護車及一位醫官在跑道的盡頭值班。航醫雖非親自輪值，卻要經常去視察業務。

雖然出事的機率非常低，這樣的準備還是必須的。兩年的航醫期間沒有碰到任何真正的人員傷亡個案，只有幾次有驚無險的小事故，但卻曾碰到一位飛行官出勤後因失事，再也沒有回來過，只要這種事情發生，周遭的氣壓就會低沉好一陣子，眾人都相當難過。佛家「人生無常」的說法，於飛行員更顯真切。

因為跟飛官混得很熟，我的駕駛技能就是在這期間學的。每當飛行員開車到我們基地醫院來看病的時候，我就利用空檔的時間跟他們借開來的吉普車，在醫院四周轉圈以練習駕駛，幾次之後我就開得很熟練了。後來考小客車駕照，就憑著這時練的技能，居然就考上了。我甚至沒有進駕駛訓練班補習，這是我至今仍很自豪之處。

「南空院」服役

如夢般的兩年航醫生活很快就過去了，因地緣關係我申請到臺南空軍醫院（南空院）服役，這是一所空軍的四級醫院，也是地區非教學醫院，專門服務駐防於臺南的空軍官兵，同時也服務一般的民眾。

南空院位於臺南市西區的安平路，是要往安平古堡和億載金城等名勝古蹟的必經之路，前面有一條運河可直通安平港。不過此情此景也只能追憶了，如今「南空院」已被裁撤，物換星移，莫此為甚！

那時候還沒有評鑑，所以醫院裡並沒有品質指標的概念，每一位醫師都是獨立作業，沒有人教你，當然也不用教別人，我用實習時所學到的醫學知識，加上兩年有限的經驗，應付絕大多數上呼吸道感染和急性腸胃炎的病人還可以，但是如碰到不明原因的發燒、胸痛或腹痛的病人，就會感覺心虛。因此我請求到臺北榮總進修半年，在心臟科和血液科學習期間，感受到醫學中心果然不同凡響，其教學活動無所不在，每天都可學到新的東西。

我充滿了自信「學成歸來」，不久就發表了一篇〈因慢性白血病導致的陰莖異常勃起〉的個案。此外，對於心絞痛、心衰竭和高血壓的處理也是頗有心得，心電圖判讀更是駕輕就熟。

才從榮總進修回來，穩定的日子過沒多久，突然聽說上級要我支援外島三個月，這消息來得太突然，宛如晴天霹靂，雖不願意卻也沒有拒絕的空間。

與我搭擋去的是臺中空軍醫院的蔡篤隆學長，他是外科專長。原來這是國軍的政策，外島的醫療需要各軍種的資深醫官支援，空軍分配到支援東引，陸、海軍則分別負責金門和烏坵的外島支援任務。東引是個彈丸之地，是外島中最小的，特產是東引酒，因地理緯度甚高，故冬天甚為寒冷。其上有居民和國軍，並且有衛生連及門診業務，照顧島上軍民的健康。

我們支援大夫的任務是接受醫療諮詢，同時還要照顧指揮官的健康。總結東引的生活是自在寫意、又略顯孤寂。

瘋狂兼差，悔之晚矣

還記得剛從國防醫學院畢業沒多久，就有能力買偉士牌機車，其原因是兼職賺外快。航醫做沒多久，學長問我要不要賺外快，心想能多賺點錢總是好的，於是我們全體航醫包下了「黃內科」及「林外科」二家醫院的夜間門診以及守大夜。此外，大林糖廠的醫務室也是我們的勢力範圍。在「南空院」服役期間，我也接了幾個差事，每周四下午到位於永康的糖廠去兼差。曾經去兼過差的地方還包括：位於中山路的「李道隆腸胃科醫院」、位於成功路的「中心小兒科醫院」、位於南縣七股鄉的鹽場醫務室、南市安平區鹽場醫務室、位於南市南郊「二程行」的鄉間民房。甚至退伍的前兩年還在家中擺攤，服務晚上來求醫的鄉親。有些兼差是歷屆學長循例移交下來的差事，似這般到處兼差、甚至在家開業的情形，在當時是相當普遍的，而且是一代傳一代。

常言道：「有所得、必有所失。」這種瘋狂兼差的日子，如今回想起來，實在是做了錯誤的示範。我會規勸現在的年輕人，除非是家境非常貧窮，不要急著賺錢，趁年輕趕快把該讀的書讀完，或者去進修高階的學位，錢以後再賺就有，打好了底子再賺錢，將是事半功倍，而且到時的路將更寬廣，能先充實自己，才能在未來順利實現理想。事實上，人生除了賺錢還有很多事可以做，尤其是為社會做一些事情，待人生的境地更加成熟之後，彼時心境的自然轉變，名利之事早已拋諸腦後，利用僅剩的數十寒暑，為社會人群做一番有益的事情，豈不快哉！

見證偉人凋零

在榮總進修期間，適逢先總統蔣公在第六病房住院，姜主任是他的侍從御醫，所以每當姜主任沒來主持心臟科的會議或教學活動時，大家都心照不宣地知道教授又被召去第六病房了。

後來主任缺席的日子愈來愈多，科內的氣氛也變得異常低沉，不久之後就從新聞報導中得知先總統蔣公去世的消息，此時正是清明掃墓的季節，原本飄著細雨的天空突然暴雨來襲，似是知道了消息特地來向偉人表達哀悼之意。

斯時舉國哀痛，我也親眼見證了偉人凋零、萬民景仰的盛況，從宿舍的窗戶居高而望，除了看到三步一崗、五步一哨地布滿特勤人員之外，還看到一條沒有盡頭的人龍，數不清的榮民弟兄很有秩序地排隊要去「懷遠堂」瞻仰蔣公遺容，雖大雨亦澆不熄榮民弟兄們對他們心中「永遠的領袖」的懷念之情。

出殯的日子到了，送殯的「人龍」綿延有數公里之長，人群之中默禱跪拜者有之、痛哭流涕者有之，場面之哀戚為平生之僅見。

第二章 從醫之路繫急診

臺北榮民總醫院　老兵從頭學起

自國防醫學院畢業後在空軍服務十年，即將退伍前，我開始思考人生的方向，到底要何去何從？趁還年輕充實自己是首要之務，因為希望能在醫術上繼續學習，我決定到臺北榮總從住院醫師做起，接受正規的住院醫師訓練，於是帶著臺南空軍醫院王真南院長寫的推薦信，毛遂自薦地向姜教授應徵內科部住院醫師，姜主任看完我的資料，很客氣地對我說從第四年住院醫師任職起，並做心臟內科研究員，此一訊息比我預期的要好很多，感恩姜教授的慧眼。一九八二年八月退伍的第二天，我就立刻到臺北榮總內科部報到，開啟了我的住院醫師生涯。

榮總心臟內科真是人才濟濟，姜教授是國內心臟學權威，科內許多主治醫師也是獨領心臟次專科風騷的人物。張茂松主任和王石補主任的心臟介入性治療，在國內是很早就開始做心導管的前輩醫師，累積了相當寶貴的經驗；陳宗贏醫師的心電圖和陳欽堅醫師的心臟超音波，在當時也是全臺首屈一指；江志桓醫師的心律調節器和心電生理學，都是當時國內的標竿型人物；此外，鄧昭芳醫師是國內第一位學習臨床毒物學的醫師，自美學成歸國就被姜教授網羅到心臟內科旗下；洪傳岳博士更是因為特殊的研究方法獲姜教授賞識，而被網羅在心臟內科。

來到這裡，要學的東西實在太多，短短一年是學不完的，我選擇了裝置心律調節器做為主攻項目，感恩江志桓醫師對我的教導，這段期間，我也在洪傳岳博士指導之下做研究，發表了有生以來第一篇學術性論文〈Pharmacokinetic and pharmacodynamic studies on the interaction between propranolol and diazepam〉。這是我一生中首度體會到「研究」的孤獨，無數個星期假日，我和另一位同事林幸榮醫師必須到思源樓二樓心臟內科的大辦公室做研究，我們互相抽血、吃藥、再定時互抽血、驗血中藥物的濃度，除了到圖書館找資料，還要絞盡腦汁學習英文寫作，才終於順利完成論文。

總醫師歷練

姜教授的用人有其過人之處，看準了我有軍人特質的背景：耐操、服從又果決，在我尚未把心臟科的技巧完全學會之際，於來榮總的第二年，便提拔我任內科部總醫師。我深感榮幸的是上級對我的肯定，但也覺得遺憾，因為這是一個非常吃重的工作，必須停止心臟科的學習，全心全意地安排住院醫師的教學、部內的行政和簽床等工作，由三位總醫師分別輪流負責。上級的命令我必須服從，雖然有些許可惜，帶著感恩的心，我戰戰兢兢地接下了這份在別人眼中具有無上榮耀與權力的工作。在這期間榮總正在籌劃中正樓的改建工程，首要工作就是把住在舊大樓的病人通通搬遷到研究大樓旁邊原預定做為醫師宿舍的大樓內，而且必須在一週內完成，這時我正負責簽床的工作，於是病人搬遷的任務就落在我的身上。由於策劃周詳、動線流暢、嚴管住院等策略奏效，搬遷工作非常順利，沒有出任何問題，給姜部主任留下了一個非常美好的印象。

當時大家都說榮總的病床位是一床難求，又說：「有關係就沒關係，沒關係就有關係。」對此，我有切身的感受，我身為簽床總醫師就是負責給床的權責醫師，經常要面臨天人交戰的煎熬。在那個電腦還不甚發達的年代，一早上班就要跑遍所有的內科病房，將所有的空床號抄下來，再到急診室看留觀的病人，將手頭上的空床簽給需要住院的病人，當有人關說而病人確實需住院，絕對是最優先給床；如果有「要人」關說但病人並不是一定要住院，則列入考慮名單。由於粥少僧多，有許多人常常是等一個多星期才等到床，造成急診留觀室人滿為患，病人無奈，醫生也無奈。

話又說回來，國人的關說文化真是根深柢固，而且無遠弗屆，即使我自認是個性耿直、嫉惡如仇，有時遇到某些特別人士關說，一番心理掙扎之後還是不得不妥協。相對於那些很看重關說的人而言，我不得不承認我只是五十步笑百步而已。生活在華人的世界，要想完全擺脫關說文化幾乎是不可能的任務。這種關說文化在各醫院都會發生，其實，病床真的應該要留給最需要的人，有些患者並沒有嚴重到非住院不可，如果大家都能尊重醫生的判斷，相信都能獲得最佳的治療。

簽床總醫師的任期結束後，接著擔任教學總醫師，這是一個與住院醫師關係最密切的職位，舉凡住院醫師的輪科、教學活動的安排，都由教學總醫師負責，每星期一晚上六點開始的「總醫師教學時間」（Chief Round），是總醫師與住院醫師直接溝通的時刻，教學總醫師的另一重要任務，是安排每星期三下午二時舉行的「Grand Round」，地點在介壽堂，全體內科主任、主治醫師、住院醫師、實習醫師們都要參加，由姜部主任主持。因為演講及討論內容相當精彩，全場一千多個座位常常是座無虛席。每一學期結束，還要對全體住院醫師舉行大會考，測試他們對「Grand Round」內容瞭解的程度，所以每位住院醫師都非常重視此教學活動。

最後四個月我輪到負責行政，任何公文在給部主任批示之前，都會由行政總醫師先行過目並擬意見，同時有一位功能類似師爺的專任行政人員幫忙，故而學到了很多公文的寫法、流程、去向等公務員應會之事，這對我日後擔任行政主管職也有很大的助益。

見識傳統急診室經營

升任心臟科主治醫師不久，忽聞姜主任要提拔我為急診室副主任，頓覺不勝惶恐之至，才來榮總三年，心想自己何德何能，無論如何，我非常感恩姜主任的提拔，此一決定，大大影響了我的一生，從此跟急診結下不解之緣。

那時的急診室主任與副主任都是任務編組，屬於跳板性質，不久的未來大都可以晉升到副院長、院長階層，因此在同仁的眼中是一個「肥缺」。外科資深主治醫師多半會接急診室主任，內科資深主治醫師多半會接急診室副主任，他們的任務幾乎就是簽署公文和代表單位出席院內外會議而已。有關臨床的問題，看診的醫師都會直接詢問相關科的總醫師解決。

當時之臨床作業方式是由內、外、兒科部各派數位住院醫師到急診看病人，病人如要掛急診，必先得到內、外或兒科醫師的同意，如判斷病人需住院，要會診各科部總醫師決定和給床。因為床位有限，要住院的人太多，總醫師內心的住院條件是相當嚴格的，大抵按以下順序：長官或主治醫師有交代、有研究價值的、真正病情嚴重但屬於單純一個科的病、最後才是按常理需住院的病人。至於牽涉二科以上的病人，不論嚴不嚴重都是放在急診室治療。

任何人都看得出來，以上總醫師的內心這把住院尺相當不合理，可是沒有人能奈何，因我曾當過總醫師，瞭解這種無奈，總醫師的任期只有一年，之後還要回到原來的科升任主治醫師，如果得罪了學長，也許就無法升任，為了不得罪主治醫師，最好不要把他們不喜歡的病症收給他們主治。

最喜歡的病症就是具有研究價值的病，可以據此寫論文、進而升等；最不喜歡的病就是已知無法根治的慢性病、發生急性併發症、再怎麼努力都不容易治好；或者要住院很久的病人。

當然我相信還是會有一些出汙泥而不染的史懷哲型醫師，我要向他們致敬。

急診病人——被忽視與遺忘的一群

由於以上人性和制度的因素使然，急診室堆滿了需要住院的病人，除此之外，還有很多應該回去而不願回家的榮民病人，無家可歸的榮民按例要轉到其他榮民醫院，但都要等很久才能成功轉院。種種因素加在一起，使得急診室看起來超級壅塞，塞到每一塊可以擺床的空間，走廊、大廳都是病床，只剩一點點空間讓行人通過，其品質之差可想而知。

從另外一個角度看，就是急診病人沒有人權，包括以下各項：一、不是專科醫師看診；二、該住院而住不了醫院；三、沒有隱私。令人不可思議的是，主管們每天經過急診通道去上班，以上亂象完全看在眼裡，想必是百感交集，雖努力卻也想不出解決之道。再者，那時候也不見任何平面或立體媒體的報導呼籲，真應驗了那句「急診病人是被社會忽視與遺忘的一群」。

赴美進修急診醫學 ACLS初體驗

才升上心臟科主治醫師兼急診室副主任幾個月，就接到準備出國進修的通知。當時榮總的慣例，只要專任主治醫師都可以按年資輪流出國進修一年，沒想到這麼快就輪到我。我考慮再三後，決定出國進修急診醫學，有些朋友很好奇，明明我的專長背景是心臟學，為什麼要去學急診醫學呢？我的想法是：一、當時心臟學科的臨床和研究都發展得與國外不相上下，各種心臟次專科的專家相當多，可以說已經是百家爭鳴，不缺我一人；二、當時急診醫學在國內是全新的領域，若能用心學習，回國後必定可以好好發揮；三、急診室裡各項問題層出不窮，想到國外取經，尋找解決良方。

但是出國進修也不是容易的事，有許多事情要處理，例如補托福、學英文會話、找進修的醫院、申請留學簽證等。當時的急診室主任李建賢醫師適時地幫了我一把，他認識在美國加州舊金山總醫院服務的林教授（Dr. Robert Lin），而且是好朋友。李主任將我介紹給林教授認識，林教授遂向他的醫院申請我到他那學習，等了一段不算短的日子，終於等到留學許可證，很順利地拿到赴美簽證。我順利申請到美國加州舊金山總醫院服務，一九八七年七月四日，帶著妻子兒女踏上赴美的飛機，開始了改變我這一生的留學之旅。

體驗SFGH急診

舊金山總醫院（SFGH）是舊金山市最大的公立醫院，也是加州大學舊金山分校的附屬醫院，該院建築不算宏偉，與國內大多數醫院相比只能算是「小巫見大巫」，其主任辦公室、行政人員辦公室、會議室和留觀室都非常小，可是我們卻不能小看它，因為它是昔日有名的「創傷中心」，美國的創傷學大老Dr. Donald D. Trunkey就是在這裡啟蒙。舊金山總醫院為何「創傷」這麼有名，因為這裡的槍傷案件特別多，創傷個案的多樣化及嚴重性，也讓醫院累積了許多處理重大創傷的經驗。

初到急診室充滿了好奇與新鮮，好多事情與國內的做法都不一樣。首先是來就診的病人很少有親友陪伴的，更不可能出現一人生病幾乎全家出動的情形，再者，急診室是由專任的主治醫師負責看診，住院醫師是從其他科輪流來此訓練的。病人要先經過檢傷分類決定看診的順序，然後在候診區等待，直到被叫到名字才能進去，其他閒雜人等一律不准進入診療區域，有實體門做為阻隔，不但真的做到門禁管制，檢傷分類處還有帶槍的警察站崗，有一次看到一個病人居然等了六小時才被叫進去看病，直覺不可思議，但他們說這是常有的事，因為病患人數太多，醫院人手不足，奇怪的是病人都乖乖地在候診區等待，不見有病人抗議或投訴等待太久。

我每天在急診室學習，同時觀察醫師護士，真的很佩服他們的定力，不管外面多麼吵、有多少病人在等待，急診醫師和護士總是很優雅地照顧病人，一個接一個，從不見慌慌張張，或大聲吼叫的狀況，似乎都遵循著特定的規則按步就班，這就是所謂的SOP（標準作業流程）。

與我們國內的急診作業相比，有一個很大的不同處，病人病歷被送進來放到待看診的盒子裡，是護士先去拿來看，然後到病床邊給病人做護理評估，再拿給醫師去看診。此外，很少有留觀的病人，如真的沒有病床，一定會幫病人轉院，該回去的也都會乖乖地回去，沒有人會討價還價的，所以不需要太大的留觀室。

讚歎ACLS

在布告欄上有一則ACLS（Advanced Cardiac Life Support, 高級心臟

救命術）招生的廣告吸引了我，這是我有生以來第一次見到這個名詞。問明了原委，原來這是一個訓練急救知能的兩天密集課程，我跟主任艾倫·蓋博（Allen Gelb）表達了想參加的意願，並且說我在此地沒有收入，是否可以免費參加？艾倫主任二話不說很快地答應了。上課還沒結束我就深深的喜歡上了它，非常欣賞這樣的教學方式，下定決心回國後一定要在國內推廣ACLS教育訓練。於是我收集了所有的相關資料，包括：課程表、講義、書籍、評分表、筆試題、口試題、學前測驗題等，準備回國後好好來推廣。

爾後又陸續看到了ATLS（Advanced Trauma Life Support, 高級創傷救命術）、PHTLS（Prehospital Trauma Life Support, 到院前創傷救命術）、EMT-B（Emergency Medical Technician-Basic, 初級緊急醫療救護技術員）等訓練的消息，我積極地參加了所有的課程，並收集了所有的資料。

EMS的初體驗

初到急診室看到一件奇怪的事，被送到急診的病人躺在擔架上，由兩位看似警察的制服人員，開著很大型的救護車，將病人送進急診檢傷的位置。後來我才知道這些人不是警察，而是救護技術員（Emergency medical technician, EMT），因為他們的衣著整齊，白衣黑褲再加上鮮豔的臂章，遠遠望去就像是沒戴帽子的警察。他們可以在現場做一些初步的救護，並將病人送到適當的醫院，這套制度叫做EMS（Emergency medical services），亦即「緊急醫療救護」服務。

我很欣賞這套制度，也想把它引進國內，為了想更深入了解這套制度，在徵得他們的同意之後，我白天在醫院學習結束，於小夜時段坐上他們的救護車一起出勤，這樣的緊湊日子度過了半年，對他們的制度、規劃及人員養成教育有了透澈的了解。

為了瞭解美國其他醫院的急診運作及緊急醫療救護運作情形，我請艾倫主任幫我寫了介紹信，到各醫院及地區做短期的學習觀摩之旅，到過的地方有舊金山高地醫院（S.F. Highland hospital）、加州大學舊金山分校醫院（UCSF university hospital）、西雅圖大學醫院（Seattle university hospital）、紐約醫院（New York hospital）、加州大學洛杉磯分校港景醫院（UCLA harbor view hospital）等，因此對於美國的急診醫學和EMS有了更深刻的認識。

在舊金山總醫院學習期間，遇到了同是來自臺灣的曾春典醫師，他是來進修心臟內科。因同樣來自臺灣、又有同樣的心臟內科專業背景、而且又是同樣的年紀，故而倍感親切。舊金山總醫院的心臟內科每天早上七點，有一位全國有名的心臟學大師替實習醫師教學，我和曾醫師經常一起去旁聽，雖然我們的英文還在學習當中，因為說的都是心臟學的專業用語，幾週下來我還是學到很多東西。有時候我們還會一起進入加護病房，看他們的主治醫師如何教導年輕醫師，發覺他們真的是很認真在教學。有時候會坐電車到UCSF，除了看急診作業，還到樓上看其他科的教學活動，叫我最難忘的是在討論室後方總是會擺上很多點心供大夥享用，我最喜歡吃的是中式點心：例如：餃子、鍋貼、燒賣等，甚至常常因這些食物吸引我而專門到那裡去參加教學活動。

在美國的最後幾個月，想要學習的部分都已大致明白，我開始埋首於舊金山總醫院的圖書館，更進一步了解有關急診醫學和EMS的發展歷程，以及最新研究論文，此期間同時接觸到多篇與急診醫學品質保證有關的文獻，為我日後在國內推動急診品質保證工作奠立了良好的基礎。

舊金山生活憶往

在舊金山的一年，日子過得非常悠閒，每週的上班日子絲毫沒有上班的壓力，不用煩惱有看不完的病人，急診暴力不可能發生在我身上，更不用擔心醫療糾紛的事，週末兩天就是全家人出遊的日子。我買了一張舊金山的旅遊地圖，把所有的旅遊點都圈起來，凡已玩過的就畫個叉，從住家馬賽公園社區（Parkmerced）到風景區的距離，由近到遠每次就選擇一個地方去玩，舊金山的公車很方便，每個據點都有公車到達，偶爾也有要轉車的，這些都難不倒我，我不用花很多錢，二個月不到就已將地圖上所有標識的地方畫滿叉形。舊金山有名的觀光景點——漁人碼頭、金門大橋、雙子峰、金門公園、花街、電車等地都有我們的足跡。

在來美國之前就有朋友好心的警告我，舊金山市有些地方是不能去的，因為那裡治安不太好。我偏不信邪，也可能是好奇之故，曾經有一天獨自一人逛了那「不該去的地方」，一路上戰戰兢兢、小心翼翼地瀏覽那兒的風光，果然看到穿著怪異的人們，三五成群地聚在一起交頭接耳，我快步通過這些人，頭也不敢回，所幸最後什麼事也沒發生，想來是傳言有些言過其實，或許是我比較幸運罷了。不過，基本原則還是要遵守的，那就是不要去招惹他們、不要挑釁他們。

市中心的中國城是我們常去的地方，因為我喜歡吃中式料理，每個星期假日就帶全家人到中國城的餐館打牙祭。所有居住在美國的華人常說：「在臺北能吃的東西在舊金山都買得到。」一點也不假。在舊金山的街道上看到的人群，屬於東方臉孔的比率很高，其中又有很多人是會講「國語」的華人，所以有的學者開玩笑地說：「留學最好不要到舊金山，因為在那裡講英文的機會較少。」倒也有幾分道理。

我雖然是跟急診主任艾倫．蓋博學習，在名義上的指導教授則是引介我到舊金山總醫院的林教授。他是該院一般外科教授，為了表現對我的關心與照顧，在來美後不久就邀請我及內人到他們家去作客，他家座落於舊金山市郊一處有名的別墅區，在他家裡我又結識了許多很早期自臺灣留美的醫師學者，包括：宋瑞珍教授（舊金山總醫院心臟內科醫師）、許文憲教授（心臟血管外科醫師），大家聊起家鄉的事情，頗有他鄉遇故知的感慨。艾倫・蓋博也沒少招呼我，也邀請我到他家吃飯，他家距舊金山稍遠，但是坐捷運也可以在三十分鐘左右到達，他的夫人是菲律賓裔美人，屬於賢妻良母型女子，我們在他們家附近的棒球場和他的公子玩了一下，過了一個美好的下午。

在美留學期間有一段快樂的時光，是岳父退休後來美旅遊的日子，我們全家人跟岳父到美東自由行，所到之處有：紐約市和華盛頓特區內的著名景點——紐約的自由女神像、洛克菲勒廣場、世貿大樓、時代廣場、中央公園、曼哈頓區、聯合國總部、大都會博物館、華爾街、和已逾百年的紐約地鐵；華盛頓的白宮、華盛頓碑、林肯碑、傑佛遜雕像；以及加拿大的尼加拉瓜瀑布。親眼見到這些以前只有在教科書上才看得到的美景，真的是開了眼界！事實上，我認為這段時間最大的收獲是達到全家人的親子之樂，尤其是拉近了岳父和我一雙兒女之間的感情，這段時間更是我有生以來難得一次長時間的親子同樂時光。

在美國進修的一年期間，也有一段讓我茶飯不思的憂鬱日子。一九八八年元月十四日，我跟往常一樣的搭公車到舊金山總醫院學習，一到醫院就聽到掛號的先生跟我說：「你們的總統去逝了，你知道嗎？」我馬上再問他到底是誰往生了，他說：「就是蔣經國啊！」這句話宛如晴天霹靂，是以前從未曾有過的很奇怪的感覺，當天我已無心在醫院學習，回到家裡也吃不下飯，這樣的日子持續了約一個星期才逐漸恢復平靜。這也許就是一個漂泊在外的遊子之心情，碰到故鄉的人或事有了變化，尤其是這麼重要的人物，在遊子的心靈上產生了巨大的化學變化，也是很自然的事情。

結束在美進修的前一週，我們到洛杉磯找小姨子小蘋，她們夫妻二人陪著我們一家到迪士尼樂園、拉斯維加斯、和黃石公園等地，幾乎玩遍了美西的旅遊景點，感恩他們夫妻的熱情招待，讓我永生難忘。

難忘的榮總情懷　為病人利益奮鬥

方良女士侍醫

從美國進修回來的第二年，時任內科部主任的金鏗年教授找我，問我願不願意到「七海官邸」服勤。當時「七海官邸」住的是經國總統的遺孀蔣方良女士，我對這分工作充滿好奇，於是很快地答應承擔這分使命。我與另一位心臟科同事輪流值班，每個月有十五天要到「七海官邸」二十四小時守護方良女士的健康。我們的常規工作是：每天一早到夫人的寢室請安、詢問當天的身心狀況、包好一天三餐要服的藥物、隨叫隨到處理突發狀況，其他時間就在自己的寢室兼醫務室看看書、寫寫文章、校對文稿。我就是在此期間完成《高級心臟救命術》和《到院前緊急救護》的譯著工作。

因經國總統對國家的貢獻，故而對其遺孀也多加照顧，國安局派出一組人馬駐守在「七海官邸」，平時擔任警衛勤務和訓練搏鬥的技能。出勤可不是小事，會出動一個車隊，第一部車是先導車，裡面坐的是武官和警衛組長，醫官和另二位侍衛則坐最後一部車，在先導車之前還有警車開道。如果要去的地方不曾去過，武官會於前一日先去勘查地形，然後選擇一條安全的路徑。此外，車隊出動要做到絕對的安全，除了自身的警衛小組有縝密的安排，還會出動地方警察做交通管制和先導，國安局則會在沿途必要地點佈上外圍的便衣警衛。下車地點多半是選擇人群稀少之處，例如大樓的地下室電梯或建築物的後門等。

夫人的社交活動很少，和經國先生的感情非常好，常到頭寮陵寢去探望，一坐就是半小時才會離開。「七海官邸」的管家名喚「阿寶姐」，是經國先生的同鄉，從很年輕的時候就隨侍在身邊，如同自家人。官邸廚師燒得一手好菜，擔任侍醫的兩年期間，最讓我懷念的就是廚師的好手藝了。

點滴在心頭

雖然臺北榮總甚早就推動急診醫學的概念，但是醫院授權急診醫師可以簽床的規定，則是在我離開以後的事情。當初在榮總常為了收住病人而與其他醫師發生爭執，因此為了順利判定科別而立下了一些規範，例如輪收本制度，亦即相關科輪流收治病人，從此急診醫師不必為了收治病人問題跟別科醫師爭得面紅耳赤。由於我的強勢作為，也得罪了好多醫師。

可是當我離開榮總後，有一天我回去辦事情，遇到了以前曾經有過節的醫師，他們主動跟我打招呼，說很懷念我在的日子。聽了這一番言語，一切的恩恩怨怨都煙消雲散了，我是真的想為病人的利益而奮鬥，並不是故意要和誰產生爭執，能獲得諒解，是我最大的寬慰。

在榮總服務時有很多護士跟我說，最怕我出差沒有上班，因為當天她們必定忙翻了，甚至沒有地方可以擺病人。護士們仰賴我來清病人，形成了一種渴望與傳統，猶如大旱之望甘霖，這種傳統一直延續到慈濟的急診。護士們最喜歡跟我查病房，決策乾淨俐落，每天都可以清不少病人出院。當時為了收住院的事，也接到不少病人的投訴，說我沒有醫德、趕病人出院。對這樣的說法我非常不以為然，也深深地打擊了我的士氣，開始檢討作法是否適當，後來我也盡量學習態度柔軟，以病人為中心來考量。譬如說某某病人要求住院，但該相關科來會診的醫師不讓對方住院，經客觀評估病人是符合住院條件的，我就會站在病家的立場，向該科極力爭取住院；反之，經客觀評估病人確實不須住院，我還是會講該說的話，如果病人還是不願回去，絕對不會勉強，一直留到病人願意出院為止。

在榮總服務時，有一位護理同事的表現令我印象深刻，至今仍然難以忘懷。她是張惠君護理師，常被安排在檢傷站服務，對每一位來看診的病人都非常地親切，還多加了很多親切的問候語，讓在旁邊的人聽了都覺得非常舒服。我成立急診醫學會後，就邀請她擔任首任的學會祕書，她一有空就去檢傷站幫忙護理同仁做檢傷。她是一個天生樂觀的人，除了待人親切，講話還非常幽默風趣，所以每位護理同仁都非常喜歡她，這樣的人格特質實在非常難得又少見，直到現在我還是非常懷念，後來她又到澳洲進修，並嫁給一位外國朋友。很慶幸在我的一生中曾與她共事，祝福她生生世世快樂又健康。

離開榮總是萬般的無奈與不捨，在榮總旁邊的天母北路買了一間房子，期還能很方便的回榮總探望老朋友，並對急診住院醫師指導教學、傳授我的經驗，希望榮總訓練出來的急診醫師都是全方位的急診醫師，方不負榮總為急診醫學發祥地的美名。

日子一天天過去，離開榮總已經十七年了，這期間我到過無數的醫院去演講，包括大多數的醫學中心，有關急診醫療倫理與法律、急診陷阱綜論、急診醫學和緊急醫療救護的過去現在與未來、如何準備評鑑、急診的時間管理、如何寫好急診病歷等，都是我拿手的題材，其中林口長庚醫院急診還連續二年聘我為客座教授，固定於每月最後一週的週五，給他們的急診醫師做教學，雖路途遙遠，我還是很樂意的翻山越嶺到前山作育英才。

然而令我耿耿於懷的是，多年來幾乎沒有接到北榮的邀請去給住院醫師演講教學，記憶中只去過一次，演講「緊急醫療救護概論」，還是我一再地向顏主任明示暗示之後求來的。這樣的結果跟我的預期落差太大，我真的不知道原因出在哪裡。只有反求諸己，開始自我檢討。也許是我太高估了自己，不符人家的需要。或許是我平時太嚴肅，人家不敢找我。也許是我人際關係不佳、沒有人緣，人家根本不願意找我。這些都是我要檢討改進之處。無論如何，我與榮總急診是有感情的，給學弟妹傳承我的經驗，是不會計較路途的遠近、鐘點費的有無，重要的是這是一件有意義的事情。

推動急診醫學　臨床、學會與教育

一九八八年七月四日，我學成返國後，帶著滿腔熱忱向臺北榮民總醫院建言推廣急診醫學，最主要的方向是將急診室擴編為獨立單位的急診部，以專任的主治醫師為急診病人服務，同時招募住院醫師從事急診醫學訓練，最終目標，要有專任的急診專科醫師為急診病人服務。

這些建議，醫院在一年內全部達成，但是專業人才的養成卻不是短期內可以達成的，有一天傍晚我在內科部的總醫師教學時段，向所有的住院醫師宣布要招聘急診住院醫師，演講結束在回宿舍的路上，突然聽到後面有人叫我，他第一句話就表示願意轉行做急診住院醫師，他就是高偉峰，是我的第一個學生，陽明大學第三屆高材生，是天生的急診醫師人才，後來在急診醫學界果然做得有聲有色，對大型活動的「緊急醫療救護」和醫療遠傳資訊，可算是相當有成就。

急診要有自己的主治醫師，是臺北榮總推動急診醫學的第一步，此消息廣為宣導之後不消幾年的功夫，急診部已聚集了來自各方的年輕主治醫師。

事實上，在臺北榮總推動急診醫學之前，陽明醫學院（現為陽明大學）就已經很重視急診醫學的教育。一九八〇年代姜必寧教授任陽明醫學院醫學系主任時，開了一門「急診醫學講座」課程，為期四週，這裡的學生很早就有急診醫學的概念，再加上高偉峰醫師經常辦理大型活動「緊急醫療救護」事宜，所需要的眾多「緊急醫療救護」人手，大都商請陽明醫學院的見實習醫師來擔任，所以在推動急診醫學的早、中期，很容易招到急診住院醫師，大多是陽明醫學院的畢業生。

推廣擴及全國

我的想法是要將急診醫學推廣至全國每一家醫院，請衛生署將急診醫療納入評鑑是一很重要的策略。一九九〇年，衛生署送來評鑑草案，要我們提供意見，急診部李主任要我參與建議，於是我將欲使急診獨立的醫院組織、人員規範，和提升急診品質的一些軟硬體設施，都建議成為評鑑的內容。那時醫院的評鑑制度才開始不久，就將急診的評鑑納入，可說是推廣急診醫學初期很重要的成就與策略，這都要感恩衛生署長官的支持和認同。

一九九〇年代初期，全國急診的硬體大致已具規模，唯獨人力方面為最大的難題。專任醫師可用別科專科醫師來急診專勤即可，但急診專科醫師的人力必須來自急診住院醫師的養成，要滿足全國龐大急診專科醫師的需求，不知要等到何年何月，我們意識到必須讓醫界認同急診醫學是一專科，讓年輕醫師看得見未來，才能吸引眾人加入。

於是我不斷寫文章發表於臺灣醫界雜誌，呼籲：「為何急診醫學必須成為署定專科？」同時也投稿於報紙的讀者論壇，強調「急診室必須有專科醫師駐診」，除此之外，我們更邀請媒體記者專訪，來報導急診醫學及心肺復甦術的重要性。於一九九八年一月一日終於水到渠成，衛生署宣布急診醫學是署定的第十七個專科，我深深地相信當時的衛生署詹啟賢署長是很重要的力量，因為他曾在美國做過急診醫師，對於急診醫學想必有著比別人更深一層的感受。

急救加護醫學會

推動急診醫學的另一策略是從學會著手，那時候最相關的學會是「西太平洋加護醫學會」，我在會中陳述急診醫學成為專科的重要性，並請求以學會的名義發函衛生署，請認同急診醫學為一專科。理監事們同意在學會內再分成急診、創傷和加護三個小組，分別訂定訓練計畫、專科考試，我自然成了急診組的召集人。為因應這樣內部的分組，理監事們還決定把學會的名字改成「中華民國急救加護醫學會」。

一九九二年的急救加護醫學年會要改選理事長，我在會議中發言力倡要將急診醫學成為專科，獲得廣大會員的共鳴，結果在接下來的選舉中以最高票當選理事，當時不成文的傳統是最高票者多半可以競選理事長，可是我的輩分太低，做理事長恐有不妥，我決定商請本部李主任出來競選理事長，果然以高票當選理事長，我則還是在學會裡扮演烏鴉的角色。

因為我的直言敢言，得罪了一些大老。有一天榮總姜副院長把我叫到辦公室，提醒我講話要溫和些，不要太衝，主管親自規勸，我也真的很想改掉這種直言不諱的個性，但是江山易改、本性難移，個性決定了我的命運，唉，想想還是做自己比較快樂。

籌組急診醫學會

雖然在加護醫學會內已分成急診、創傷和加護三個小組，並決定由急救加護醫學會來認證，可是每當衛生署來函，詢問學會是否同意將急診醫學獨立成為專科時，還是有許多人反對。綜觀先進國家的經驗和我們過去失敗的教訓，為了急診的品質及未來發展，以專任的急診專科醫師為急診病患服務是必須的，試想一個兼任的人怎麼可能專心的把急診的品質弄好，一個沒有親自做急診的人又怎麼了解急診人的心聲。

故急診改革之事雖千頭萬緒，最首要之事還是將急診部門獨立出來、急診主任必須專任，再者，如果急診醫學不是署定主專科，又怎能吸引年輕醫師投入這個行業，沒有很多人專勤於急診，品質又怎麼改善。思之再三，我決定籌組一個急診醫學會，由真正做急診的人來當理監事。

為尋求共識，我邀請各大醫學中心的急診主任聚餐，詢問有關成立急診醫學會之事，大多數都不贊成，只有少數幾個人同意。這樣的結果令我非常意外，但我還是執意要籌組急診醫學會，邀集了三十六位急診同仁連署，發起成立急診醫學會，向內政部社會司申請，事情進行得相當順利，終於在一九九四年十月於臺北榮總介壽堂舉行成立大會，我順理成章地成為第一屆中華民國急診醫學會理事長。從此有了發聲的管道，開始擬定各式典章制度，我還親自設計急診醫學會的會徽，急診醫學的發展自此邁入一個新的里程碑。

兩年理事長任期屆滿，我主動宣布不再連任，打破了當時每個學會理事長都擔任兩屆的常規，並且在急診醫學會形成慣例，每個理事長都只擔任一屆，於是很多優秀的中生代急診醫師可以快速接班，使急診醫學會永遠充滿了活力。我即使未當理事長，仍然是很活躍的會員，積極地參與會務活動。我的目的只有一個，就是提升急診服務的品質、維護急診人的權益。

回想整個推動急診醫學的過程，將急診部門納入評鑑非常順利，但急診醫學成為署定專科奮鬥了九年才成功，比起美國花了十年才成為專科毫不遜色，籌組急診醫學會則屢遭挫折，憑著只要對病人有利的事就勇往直前的信念，靠著堅忍不拔的毅力，終於成功。要感恩的人很多，除了詹前署長的支持，當時衛生署醫政處葉金川處長、急救加護醫學會理事長朱樹勳教授、臺北榮總急診部主任李建賢教授等人，都是在推動急診醫學的過程中功不可沒的人物，感恩這些前輩的付出。

急診醫學往下扎根

為了讓醫學生在求學時，就接受急診醫學的概念及具備急救的技術，我倡議在醫學院設急診醫學科，這個願望很快就實現了，到院前救護技術已納入必修的課程，同時上簽請准醫五學生於進入臨床前接受ACLS訓練，這個提議也獲得支持，以後變成了慣例，這在全國的醫學院中算是創舉。

推動緊急醫療救護　由宜蘭擴及全國

學成歸國後的第二個心願，就是推動「緊急醫療救護」（EMS）服務，所謂EMS精神就是將適當的病人，於適當的時間內送到適當的醫院。二〇〇九年衛生署實施醫院急重症能力分級制度，將醫院分成重度級、中度級、一般級。重大創傷的病人要在三十分鐘內送到重度級醫院，急性心肌梗塞的病人要盡快送到有能力做心導管，且能於九十分鐘內打通血管的醫院，急性中風的病人要送到能給血栓溶解劑的醫院。以上種種資訊無一不是專業的範疇，需要專業的判斷，由受過專業訓練的救護技術員（EMT）來判斷該將病人送往何處才是正途。

立法通過

我特別去找當時的衛生署醫政處處長葉金川先生，他認同這樣的理念，也願意推動，於是我把所有從美國帶回來的資料翻譯成中文，包括EMT訓練課程，甚至把一本美國EMT訓練所使用的教科書也翻成中文，送給相關的人士，希望他們能了解：「我們都已準備好了，隨時可以開始推動」。《緊急醫療救護法》則幾經波折，終於出了行政院的大門送到立法院審議，可惜在立法院睡覺一睡就是四年，直到一九九五年八月才通過立法，由總統頒布實施。

原來是因為日本發生了轟動全球的阪神大地震，這一震震醒了立委諸公，我國的《緊急醫療救護法》才得以火速通過，奠定了我國實施到院前救護的法源基礎。從此消防人員的三大任務是「救火、救災、救護」，實為我國推動「緊急醫療救護」過程中的一大里程碑。

在推動「緊急醫療救護」的過程中，有個人物必須一提，他幫了我們很大的忙。他就是從加拿大來的卜樂得醫師（Dr. Michael Bullard），是林口長庚醫院從加拿大聘請來的急診顧問醫師。卜樂得醫師外型高大、挺拔、俊俏，說起話來溫文儒雅，演講起來更是幽默風趣，一副紳士派頭，是科班的美國派「急診醫師」，自急診住院醫師訓練完後沒幾年，就受聘於長庚醫院，協助發展急診醫學。

因有共同的理念與使命，在許多場合我們共同奮鬥、一唱一和，使我在推動「急診醫學」和「緊急醫療救護」的過程中，增添了更多有利的因素，卜醫師也是一位非常謙虛的醫師，來臺不久，他曾到臺北榮總向我詢問有關北榮實施急診醫學的情形，連續數日都來看我巡查留觀病人，我們彼此交換實施急診醫學的心得、經驗和理念，從此惺惺相惜成了好朋友。

真的很感恩卜樂得醫師，他是我永遠的好朋友，雖然他已離開臺灣回到家鄉加拿大，我還是非常地懷念他。

宜蘭經驗

自從我毛遂自薦地向衛生署推銷「緊急醫療救護」以來，署裡啟動了一連串的措施表達推動的決心，其中之一就是請我寫一個研究計畫來試行，因為宜蘭的醫療網是由臺北榮總負責，所以我寫了一個EMS執行計畫，以宜蘭為實施地，獲衛生署全力補助支持，也獲地方的消防隊蘇大隊長的支持全力配合。

計畫內容包括：成立EMS指揮中心、所有救護車配置一般型救護車的設備、所有消防隊員接受EMT-1訓練。在所有軟硬體設施都建置完成之際，一九九一年八月舉辦了一個EMS成軍典禮，全國各地的消防和衛生單位都派代表來參觀。會後眾人前來詢問很多問題，我一一地耐心回答，從眾人臉上的表情，可以感受到對實施EMS充滿了自信。

我們在宜蘭消防大隊隊部的勤務指揮中心牆壁上，設置了一塊大看板，顯示出宜蘭縣地圖和救護車部署的情形，同時聘用了四位研究助理，二十四小時在指揮中心值班，做線上醫療指導的工作。美式EMS指揮中心的雛型於焉形成，加上受過EMT-1訓練的消防人員，駕駛著全套到院前救護的設備出動，這就是我國第一個實施EMS地區的概況。

宜蘭實施「緊急醫療救護」早期非常地成功與順利，我每星期四下午會到宜蘭消防隊，幾乎跑遍了所有的分小隊，在座談間解決眾人提出的問題。此外，我們於一九九一年在宜蘭運動公園體育館舉辦全民CPR運動，這是國內第一次同時有一千多人來學習心肺復甦術，場面甚為壯觀，媒體競相報導，達到了推廣心肺復甦術的目的，在此要感恩羅東博愛醫院的鼎力相助，此活動才得以圓滿完成。

臺北經驗

推動「緊急醫療救護」的第二個管道是臺北市衛生局及消防警察大隊，當時的北市衛生局柯局長請我在市立仁愛醫院演講，講題是「急診醫學與緊急醫療救護」，後來柯局長聘請我擔任北市的「緊急醫療救護」諮詢委員，也邀請我到市府的例行月會和市府員工分享，讓人感覺，臺北市推動「緊急醫療救護」相當積極。

當時的臺北市消防中隊長江濟人先生，非常認同「緊急醫療救護」理念，積極協助辦理EMT-2的訓練，地點在火車站前忠孝西路邊的城中消防分隊，學員全部是消防弟兄，這是全國第一次舉辦中級救護技術員訓練班。令我印象深刻的是，石牌分隊有一位邵姓消防弟兄對到院前救護充滿熱忱，每次將病人送到榮總時，總是把患者包紮得相當好，而且包得非常漂亮，令榮總急診醫護人員都非常喜歡也讚歎他的用心。

推動大型CPR活動

所謂大型CPR活動，是指舉辦超過一千人以上來學習的訓練活動。其目的是希望在短時間內，有更多的人學會CPR的技巧。一九九一年三月，我在宜蘭縣體育館舉辦大型CPR活動，感恩羅東博愛醫院的鼎力相助，這場全國首度推廣的大型CPR活動才得以順利完成。

接著協助臺北市衛生局辦了一場大型CPR訓練，此後陸陸續續在各地舉辦。或許有人不認同大型CPR活動的理念，我則是極力推崇及實踐者，我認為唯有辦理大型的CPR活動，才能在短時間內有更多的人學會CPR。當一個社區有百分之七十至八十的民眾都學會了，遇到緊急狀況，至少會有更多的機會救回病人；反之，如果社區中只有百分之二十至三十的人學會，搶救的機率就更低了。

大家所擔心的品質問題，可以用大堂講課及示範，小班制的操作及嚴格考試來把關。雖有千人參加，但會分成四十至五十小組、準備四十至五十具假人安妮、請到四十至五十位CPR助教，這樣的方法就能兼顧品質。

學習香港經驗

在推動「緊急醫療救護」之初，因有感於臺北市塞車嚴重，會影響救護車的反應時間及運送病人，於是在一九九二年，我到香港的EMS部門參觀學習，那時香港的EMS在亞洲是屬於已發展的地區，跟新加坡的水準接近。在香港也有塞車的問題，甚至比臺北更嚴重，他們發明了救護摩托車，於交通尖峰時期就由救護摩托車出勤。

所謂救護摩托車就是將一般的摩托車配備了通訊設備、救護器材和急救箱，因此我對它非常感興趣，拍了很多照片帶回來，並向臺北市消防隊及衛生局建議，在臺北也可以推動摩托車救護，不過當時並沒有被採納，過了幾年後，看見新聞報導臺北市設計了改良的摩托車做為救護出勤之用，心裡甚感欣慰。

回首來時路，推動EMS的早期遭遇極大的阻力，在萬念俱灰的心情之下，曾經幾度想參選立法委員，藉由委員問政質詢，或可更快速地推動，終因財力不夠雄厚，怕萬一落選豈不傾家蕩產，思之再三只好打退堂鼓。還好，衛生體系方面是全力支持，在此要無限感恩衛生署各級長官的厚愛。

但看今日「緊急醫療救護」的發展已經相當具有規模，當時也許我走得太快，改革推動得太急，致使一般人無法適應，我的性子又太急，總是愛之深、責之切，致使一路走來跌跌撞撞，得罪了不少人。無論如何，「成功不必在我」，只要真正能做到及時救護患者，減少人命傷亡，就是我最大的心願了。

第三章　高級心臟救命術（ACLS）的震撼

推廣ACLS 新穎的急救概念

當年滿懷興奮帶著滿滿的資料回國，除了「急診醫學」、「緊急救護系統」，最期待也最有把握的，就是推動高級心臟救命術（ACLS），這是一個不必假手外部單位，單憑急診部自己就可獨立完成的事情。

一九八八年回國後，年底我就在急診部會議室開辦國內第一個小型的ACLS訓練，學員全是急診的醫護同仁，儀器是跟廠商借的，課程結束後同仁的反應出奇地好，都覺得很新鮮、學到好多東西，很多急救概念跟以前完全不一樣。經由這次的經驗，更加強了我要在全國推廣ACLS的決心。

我一方面向醫院申請購買CPR安妮（假人）、呼吸道半身安東妮（插管安妮）、心律模擬器（Heart Sim 2000）、心電圖投射器（Interface）、異物梗塞練習假人，不夠的器材就向廠商借，場地方面則是向醫院商借會議室。有時為節省開銷，小會議室也省了，我們利用走廊擺設桌子和儀器，前面再擺一些椅子，就可以變成教學小站，教學的效果是一樣的。

另一方面上課必須有講義，於是我將原版ACLS教科書翻譯成中文，其中有幾章是請部內同仁一起翻譯的，感恩早期跟我一起翻譯教科書的同仁，因有他們的幫忙，這部分的工作很快就完成了。有了教科書，要求學員事先閱讀，上課將是事半功倍。這本書是《高級心臟救命術》，該書於一九九〇年初版，於一九九四年取得美國心臟學會的授權翻譯此書。

一九八九年我們以榮總急診部的名義，第一次辦理對院內、外醫護同仁招生的ACLS訓練班，結果來自全國四面八方的醫護同仁都來參加，人數相當多。之後大約每年辦理兩次，幾乎每次招生都頗為轟動，參與人數將近兩百人，因為成效實在太好了，一傳十、十傳百，雖然課程不輕鬆，仍澆不熄眾人的熱情，這就是我最大的安慰，也是支持我持續舉辦的動力。

綜觀ACLS訓練課程，不僅僅是帶來新穎的急救概念，更是引領了國內新式教學的風潮。例如：開啟了小組教學的先河、也是目前甚夯的模擬教學的始祖。ACLS內的mega code單元更是TRM（Team Resource Management, 團隊資源管理）的最佳示範。此外，在透明塑膠片上挖洞來幫忙改考卷、當場製作和發通過證明等舉措，也是一新大家耳目的首創之舉。

全省走透透

剛開始推動的時候，很多人見了面總是問我ACLS的全名是什麼？現在ACLS已是一個如雷貫耳的名詞。經由榮總的推動，愈來愈多的人想參加但因名額有限，無法滿足龐大的市場需求量，我們開始思考是否到各醫院去舉辦，也能增加推廣的速度。

一九九一到一九九六年間，是最瘋狂的「全省走透透」時期，幾乎縱貫線旁的每一鄉鎮，都曾經留下我們團隊的足跡：臺北、桃園、新竹、苗栗、臺中、南投、彰化、嘉義、臺南、高雄、屏東、宜蘭、澎湖等地的各大醫院，包括：桃園敏盛醫院、桃園新國民醫院、苗栗大千醫院、苑裡和大甲李綜合醫院、中國醫藥學院附設醫院、沙鹿童綜合醫院、臺中光田醫院、彰化秀傳醫院、埔里基督教醫院、竹山秀傳醫院、嘉義基督教醫院、嘉義聖馬爾定醫院、屏東基督教醫院、羅東博愛醫院等。

其中彰化和竹山秀傳醫院是舉辦最多次的地方，而軍方醫院包括：三軍總醫院、國軍松山醫院、國軍臺中醫院、國軍臺南醫院、國軍岡山醫院、國軍高雄醫院、國軍左營醫院、國軍屏東醫院、國軍澎湖醫院等。

「全省走透透」的那段時間雖辛苦但也相當愉快，至今想起還令人萬般懷念。通常都是天未亮，大約是凌晨四點，開著自家小轎車整裝出發，記得只有到屏東空軍醫院那次是凌晨兩點就出發。車後行李箱裝滿了上課要用的大大小小的器材，一路上睡睡醒醒，伴著星辰和初陽在高速公路上奔馳，不知不覺間已經到達了目的地。大夥熟練快速地架設器材，緊接著就照表操課，上課時老師們唱作俱佳、妙語如珠，全場笑聲不斷。

第二天下午是學員們最緊張的時刻，要考筆試和技術考，早期學員大多在mega code這關被刷掉，但老師們愈來愈仁慈，如果mega code不過，就一而再、再而三、三而四地一直教到通過為止。

回程時大夥拖著疲憊的身軀，順著來時路踏上歸程，心裡都是滿足和喜悅，能夠讓更多人了解並學習ACLS，正是我們願意全省走透透的動力啊，不計辛苦，不計付出，只想要推廣。

也因為白天用盡心思想給學員刻骨銘心的感受，常不計形象地表演，像極小丑，所以我最喜歡唱的一首歌就叫〈小丑〉，我把歌詞改成「掌聲在歡呼之中響起，眼淚已融在笑容裡，上課時歡樂送到你眼前，下課時孤獨留給自己，是多少磨練、和多少淚水，才能夠站在這裡，失敗的痛苦、成功的鼓勵，有誰知道這是多少歲月的累積……」再想想ACLS老師培訓的過程，要經過多少的試教、多少次的考試才能成為一個正式的講師，歌詞的意境和ACLS老師們的心境非常類似，我們就把這首歌稱做是〈ACLS團歌〉。

二〇一〇年急診醫學會邀請美國心臟學會的老師，來臺灣辦理ACLS講師訓練班，我也是訓練班中的一個成員，這次的訓練給我帶來極大的震撼，甚至整個ACLS課程的舉辦模式，都有值得我們學習的地方。

ACLS推廣了二十多年，除了自己主辦也常受邀到別的團隊當老師，因此也接觸到很多別的團隊的教法，我深深認為通過講師培訓的人，一定要做到高品質的CPR，同時要知道如何主持ACLS，才能對學員做最佳的訓練。

ACLS的困擾　懺悔與感恩

推動ACLS所帶來的快樂，並非酬勞的多寡，而是上課時與學員互動的過程，在寓教於樂的氣氛中讓學員有刻骨銘心的感受，從而學得急救的技能，這才是我生平一大快事。

然而有時也會帶來困擾，ACLS訓練班通過率不可能百分之百，我們團隊尤其以嚴謹出名，通過人數比率大約是百分之八十。大多數醫院都會尊重我們的決定，不通過的學員也都心服口服地接受失敗的事實，感恩老師們的教導，並說雖未通過但確實學了很多東西，希望下次再來一雪前恥，這也是讓人感到安慰並且樂此不疲的原因之一。

只不過，偶爾有醫院會關說，希望能給某位未通過的特定學員通過，理由總是：「他在急重症單位工作，醫院評鑑需要ACLS證書。」依我嫉惡如仇的個性，第一時間一定嚴詞加以拒絕，並曉以大義，可是他們不死心地一直纏著我，這樣的要求真的讓我很為難，不過最後我還是棄守我的道德防線，向他們投降。在之後的數日間心情總是鬱卒，心想以後不要再去那家醫院辦ACLS。到如今我一直懺悔沒有做到「誠正信實」，很可能我的一世英名會毀於一旦。還有更扯的事情，有一位院長沒有來參加，也要我們給他一張證明，心想院長也不可能去急救病人，評鑑也沒有要求院長需有ACLS證明，就做個人情送他一張。後來年齡增長之故，身段比較柔軟，對於公理正義的堅持不再那麼絕對了。話雖如此，這樣的行為還是不良示範，是我需要懺悔之處。

總而言之，整體而言我是個很幸運且很有福報的人，推廣ACLS一路走來總有貴人相助，單憑一己之力是無法在短期內將ACLS遍地開花。而我做到了，是因為有一個堅強的團隊，老師們的教學多采多姿，魅力獨特，深受學員們的喜愛，好名聲傳了開來，受邀的訂單也就應接不暇。基本上我喜歡用固定的團員老師教固定的單元，教學品質比較有保障。然而因為個人生涯的規劃，人事難免會有更動，我很幸運的是在不同時期總有不同的代表人物，維繫了ACLS的團隊品牌，真的要非常感恩這樣的團隊，因為有眾人的努力付出，才能讓急救教育事業得以源遠流長、恆持久久。

ACLS友誼常存　美好的仗一起打過

推廣ACLS二十餘年，到全國各地辦理課程，認識了好多朋友，建立了難忘的情誼。就以推動的前期來看，時值一九九〇年代我在臺北榮總服務期間，只要有醫院邀約，我就會帶著全套器材與團隊前往，因為那時全臺灣醫院中有能力又有興趣辦理ACLS的單位不多，我們幾乎是在西部縱貫線上走透透地開辦，場地絕對不是問題，只要能找到空地，克難地用圍廉一圍就能進行。

邀約的醫院當中以彰化秀傳醫院次數最多，每年都會至少辦理ACLS一次，也因此，醫院的黃總裁、護理部主任、彭督導、急診護理長、及許多護理同仁等都成了好朋友，醫院內還有許多「粉絲」情義相挺，雖然現在我已記不得名字，但是眾人熱情的身影仍深深的烙印在我的心底。印象中舉辦較多的其他醫院是竹山秀傳醫院和埔里基督教醫院，和竹山秀傳的護理部蘇素匹主任也變成了好朋友。

感恩所有還記得名字的和不記得名字的好朋友，在推廣ACLS的歲月裡有你們相伴，讓我非常珍惜這段殊勝的因緣，也很懷念這段難忘的友誼。

在以東部地區醫院為主的時期，每年也都會到西部的虎尾若瑟醫院辦理ACLS，尤其是到虎尾若瑟醫院辦活動可是一件大工程，活動日前二天就要把所需器材先寄到當地，活動前一天晚上必須先回臺北住一宿，隔天一早四點多就要出發，在昏暗的月色下於高速公路上疾駛，七點多就可到達目的地，用完早餐剛好趕上第一節課。有時沒有便車可搭，必須於前一天下午從花蓮坐火車到斗南站，大約六小時的車程。

我這麼不辭辛勞地繞大半個臺灣去辦活動，只因為他們相信我們教學的品質，我們也當大家是好朋友，好朋友的邀約當然是兩肋插刀義不容辭。蔡副院長和護理部玉純主任和麗霞督導，都非常地熱情好客，第一天課程結束後，總會帶我們去吃好吃的，到華山泡茶、喝咖啡、俯看雲林的夜景都是我難忘的經驗。

第二天一大早天還沒亮，我有時會到離招待所不遠處的學校去晨跑，跑完後回來洗個澡，然後神清氣爽地去上課，覺得特別有精神。當整個課程結束後，大夥拖著疲憊的身軀，手上提著大包小包的禮物、便當、點心餐盒，內心裝滿了眾人濃濃的情誼，踏上來時的歸程，一路上腦子裡回想的盡是這兩天上課的點點滴滴。

由於ACLS的因緣，我與臺東衛生局的鐘課長、署東醫院陳護理部主任、臺東馬偕醫院桂英督導、臺東榮民醫院鳳香小姐、虎尾若瑟醫院的蔡副院長、玉純主任和麗霞督導等人都成了好朋友。我們之間的因緣不只是ACLS，有一次去若瑟醫院辦理ACLS，他們正好在準備評鑑的資料，有些地方有了難題，遂來請教我，我毫無保留地利用上課的空檔時間，將所有相關的資訊分享，同時留下了眾多檔案資料以備參考，只要能幫上忙，我就是為了朋友會義不容辭付出的人。

二〇一一年時我們到臺東馬偕辦理ACLS，下課時間桂英督導來找我，請我為急診改建之事提供一些意見，對於這事我頗有一些經驗與概念，理念得以推廣更是人生一大快事，遂將因應感染病的動線規劃、以病人為中心的規劃概念以及門禁管制的原則毫不保留的分享，也獲得他們的回響及認同，足證我和他們不凡的交情。

此外，值得一提的是，雖然羅東聖母醫院的ACLS都是他們自己主辦，然而每次都會請我當講師，乃因有很多我的「粉絲」在急診服務，只要我來上課，她們都會很捧場在臺下聽講，真令人感動，所以我對醫院的急診也會特別關注，經常會提供建議和分享。唯一感到抱歉的是，他們每年都希望能幫忙介紹急診醫師，十多年下來這任務一直沒有達成，實情是我們自己的醫院也缺急診醫師啊！可見能承受急診壓力的醫師，真的不容易找。

舉辦ACLS從接受邀請到成行，其中相關的聯絡事宜不下十餘次，要確定老師人選、敲定老師的行程、問東主醫院還缺什麼儀器等等，我身為主任醫師要上急診一線班、要到學會和衛生署開會，實在沒有時間來處理這些聯絡瑣事。所以我必須感恩這二十多年來一直在ACLS聯絡事項上，盡心盡力幫忙的北榮施美秀護理長和東區EOC（緊急醫療應變中心）的韓素玫小姐。

最後，謝謝團隊們以及所有人的協助，讓推廣ACLS道路能一步一腳印全臺走透透，再次感恩！

成也ACLS、敗也ACLS 官司纏身

這麼多年來，推廣ACLS的心情是愉快的，然而在這條道路上，卻莫名招來一場無妄之災，對我而言這是一段沉痛的往事。

一九九五年，我去新加坡參加東南亞緊急醫療救護研討會，才剛回國，驚見高偉峰醫師來接機，他簡單說明：「有人檢舉你舉辦ACLS貪汙，到醫院來調查。」非常感激高醫師於第一時間讓我知道這個消息，我們未直接回家，在士林中正路與中山北路口的麥當勞坐下，雖然時間已過半夜十二點，我們仍詳談事情原由和如何因應，彼此的心情都降到冰點。「貪汙」罪名是不可承受之重，我更擔心一世英名即將毀於一旦，我不斷地反覆問自己，難道教導別人學會急救的技能有錯嗎？不辭

辛勞四處演講有錯嗎？這之間，到底做錯了什麼事情，竟招來檢舉？

回到榮總後，果然接到調查局的約談書，我自認問心無愧，兵來將擋、水來土淹。調查人員雖然很客氣，我也有問必答，他們出示檢舉信，果然是有人檢舉，署名的人是本部的一位技術員，後來她一直跟我道歉否認，而且還寫切結書說她沒有檢舉我，一定是別人冒用她的名字。我告訴她這些都已不重要了，但這場漫長的「還我清白」的官司，注定要走下去。

調查人員到我辦公室翻箱倒櫃，找到一個有關ACLS的電腦檔案，他們將數字算來算去，最終以貪汙三十四萬元結案，送士林地方法院地檢署偵辦。

偵辦檢察官根據調查局的報告將我起訴，官司就回到了法庭上。在庭上我和律師極力地辯護，我的論點是辦理ACLS的目的是推廣急救教育，講師們也都是用自己的休假去上課，固然有向學員收報名費，但該報名費大多數用做老師的鐘點費，並沒有用到政府一毛錢，何來「貪汙」之說？我出示榮總同事的連署書，證明每次辦理ACLS都有收到鐘點費。高醫師更在庭上向法官曉以大義，說：「胡醫師推廣ACLS，在國內救回了無數的病人，如果說因推廣ACLS而有罪，以後還有誰敢救病人。」高醫師深明大義、據理直言、不畏強權，真的是條漢子。

在偵查庭和一審庭的纏訟期間，我的心情是複雜的，雖深知終會沒事，仍然會擔心，我每天都會到信箱去看有無傳票。法官可能真的很忙，每次出庭總是隔了很久，有時法官換了人，又要從頭問起。每次接到傳票看到出庭的時間，總是只有一個星期，我又要跟同事換班。在這一星期裡又是茶不思、飯不想，總會胡思亂想，心中想的都是法官會問什麼？如何回答法官的問話？在多次往返臺北、花蓮的自強號火車上，以及等待開庭前坐在冷冰冰的長椅上，幸有我夫人一路相伴，可以稍解我心中的不安。

可是說也奇怪，每當我一進入法庭內，我的不安完完全全地一掃而空，我可以安詳地回答我的身分、住處，更可以明明白白地陳述事實。每次出庭後我總是不斷回想著與法官之間的問答，仔細明白而毫無隱瞞，因而總覺得「無罪判決」的日子應該不遠了。

經過三年等待、接傳票、出庭、再等待的日子，宣判的日子終於到來。有一天在辦公室中突然接到一封自臺北士林地方法院來的信函，斗大的三個字「判決書」映入眼簾。伴隨著內心的激動，我一字一行的看下去，全文的結論終於還我清白，我被宣判「無罪」。雖然明知這是個遲來的正義，我還是高興不起來，因為傷害已然造成，許多人背地裡的閒言閒語是更大的傷害，我只有堅定地告訴自己：「對的事情還是要做下去，唯行事要再低調些。」

兩星期後律師告訴我，公訴檢察官沒有上訴，這個災難才算劃下了「不算完美」的句點，在我的人生旅途上又增添了一筆難忘的記憶，此一事件更直接影響到我未來人生的方向。

如果沒有這一事件，我不會到東部的慈濟發展。如果沒到慈濟，我的人生際遇絕對會是不一樣的，要討論孰好孰壞已不重要，因為我深信一句話「有一得必有一失」，只要努力不懈，在任何軌道上都可以擁有一片天。

慈濟改變了我的性格，從火爆浪子到入經藏大懺悔自己的個性，重新調整人生的腳步，可說是我最大的收穫。

第四章　松柏精神再出發

一九九五年，我面臨了人生最低潮的時刻，因為舉辦ACLS，被檢舉貪汙，經過三年等待、接傳票、出庭、再等待的日子，終於被宣判無罪。雖然這個遲來的正義還我清白，卻洗不盡所受的傷害，除了影響我的一生，更改變了我的生涯規劃。

像「被約談」、「被控貪汙」這樣的事情，在任何機構都算是一件大事，消息很快地傳遍全院，除了顏面無光，我內心更有沉痛的無奈。在醫院內碰到同事，大家都很知趣地不會多問，有一天碰到以前的老同事，他安慰我：「我們都相信你，有才幹的人總是會遭人忌的，沒有遭忌的是庸才。」雖然明白他的善意，但我也咀嚼這句話良久。

這段期間在推動急診醫學和「緊急醫療救護」方面，也碰到瓶頸，有很多衛生署轉到學會交辦的事情，被移交給別的醫院去做，我心想這種事我比他們還專業，為什麼沒交給我做呢？由於當時的個性心高氣傲，不明白事情的緣由，只感受到很不被重視，所以相當鬱悶，再加上因為堅持評鑑條文的規定，得罪了衛生署的長官，在推動急診醫學的路途上，愈來愈有無力感。

以上三件事情加在一起，令我的心情跌到了谷底，決定離開臺北這塊令人傷心的地方。現在回想起來，完全是我當時心胸太狹窄又太自負的緣故，推動急診醫學是好事，但是應該要有海納百川，兼容並蓄的胸懷才是，正如證嚴上人的《靜思語》：「好事，需要你、我、他共同來成就，所以，不要有你、我、他的成見。」「一個真正成功的人，必須人人都能容得下你，你也能容納每一個人。」

花蓮慈濟醫院　理想的發展之處

總之，我開始思考要到哪裡去開拓我的第二春？我想去的醫院之條件是：一、可以占醫學院的教職，因為我當時是副教授，還想再升等；二、該地是急診醫學及緊急醫療救護之沙漠地帶，因為我喜歡挑戰；三、遠離臺北這個令我傷心的地方。

環顧全臺灣，符合我心目中可以發展的理想地方，是位處花蓮的慈濟醫院，於是我將自我推薦信寄給慈濟醫院林副總，他們對於我這個人，必定是很慎重地考慮，所以隔了兩個多月，我才接到回音。有一天林副總偕同人事室主任到榮總拜訪我，談了一些細節，到花蓮慈濟醫院發展之事就此定案。

每當有人問我為何到慈濟時，我總是不知如何啟齒，如果照實說是因為想要離開傷心地，會覺得很丟臉，如果要說是「因感受到上人的慈悲、愛心……感化了我」等等，顯然是在撒謊且矯情，因為在來到慈濟之前，我並不認識上人，只嘆自己孤陋寡聞，只好對外解釋「花蓮是急診醫學的處女地，我來發展急診醫學」等等這種簡單又冠冕堂皇的話。如今能藉由本書道出了真心話，心中坦然許多。

回想起前塵往事，在北榮時所跌的一跤，是我人生的轉捩點，若非如此，我不會離開榮總，若不是轉到慈濟服務，也不會認識上人，不會了解慈濟世界，更不可能轉性並發生爾後一連串精彩的人生。人生際遇冥冥之中自有定數，「北榮事件」改變了我的生涯規劃，認識上人影響了我的後半生。

我跟慈濟的因緣還不止於此，偶然間看到一張泛黃的照片，照片中的人物個個穿著背心，上面清晰的印著四個大字「慈濟志工」。原來是一九九五年擔任急診醫學會首任理事長時，借北榮對面的國立護理學院體育館舉辦大型CPR活動，有一千多人來學習CPR，光是學員們報到分組就需要為數不少的工作人員，活動當天報到櫃臺坐滿一整排制服志工來幫忙，原來他們都是慈濟的志工，當時我因為忙碌，沒有特別注意到他們的存在，也還不知道慈濟是什麼樣的團體，只知道當天有很多志工來幫忙，沒想到一年後，我竟然加入了這個慈濟大家庭，似乎冥冥之中早有定數，我與慈濟的緣分或許就在這裡。

一九九六年七月一日到花蓮慈濟醫院報到，我充滿著企圖心立下了三個宏願：第一、發展急診醫學，把慈濟醫院打造成東部地區急診人力資源中心；第二、協助花蓮縣發展「緊急醫療救護」；第三、把急診醫學的概念往下扎根到校園。

就經營慈濟急診而言，我許下了以下心願：一、通過醫學中心評鑑；二、成為教學典範；三、招收眾多住院醫師，成為人才培育中心。

欲達以上目的，必須從服務、教學、研究及品質保證等四方面著手。

經過十七年努力的經營，雖不盡理想與圓滿，至少是全心全意的付出與奉獻。

目前急診部門是以急診醫學的精神在運作，以主治醫師看病為主，住院醫師是來學習的，並不能當做人力。我們重視臨床教學，住院醫師看過的病人一定要經過主治醫師的教導後護理人員才能執行醫囑。每次評鑑總能獲得評鑑委員的嘉許，為本院通過醫學中心評鑑奠定了加分的基礎。

大體而言，急診經營方面都能達到預期的目標，唯有招募急診主治醫師和住院醫師二項，終究敵不過現實的無奈，我們的人力也只能勉強算是自給自足而已，還談不上人力中心，有一度還搖搖欲墜，我不得不下修我的願望——只要慈濟的急診不倒店就好。畢竟大多數急診醫師都只是平凡的人，我必須用不平凡的管理方式才能留住人才，那就是慈濟的管理模式——以「慈悲、喜捨、善解、包容」之心帶領同仁，還要「時時感恩、事事感恩」我們的同仁。慶幸因受到慈濟環境的薰陶，因此我特別重視急診人性化的管理。唯有堅持此信條，我的急診才能在「五大皆空」的環境下，還能屹立不搖地服務花東地區的民眾。

就協助花蓮縣發展緊急醫療救護而言，我是失敗的。然而因為球都不在我這邊，我們沒有主動權，唯有等待時機，只要有因緣，就不怕緣來遲。

第三個願望算是成功，我們的團隊首度把ACLS教學實施於即將進入臨床的實習醫學生和護生，開了各學校醫護學生學習ACLS的先河。唯美中不足者，我們學校的急診醫學課程只有一個學分，想要開設急診醫學研究所的美夢也沒有成真。我坦承是我的努力不夠，沒有能力說服學校的老師，希望我的繼任者能夠完成此一心願，只要找對路，就不怕路遙遠。

以病人為中心

急診作業空間設計的一個重要理念就是「以病人為中心」，換一個說法就是「醫師將就病人」。我在急診設計了一間內視鏡室，並採購了全新的內視鏡，但是腸胃科醫師仍然無法到急診為病人做內視鏡，原因是專科醫師人手不足，我能體會這種無奈，最後只好把場地挪做別的用途，把內視鏡送給了腸胃科。此外，新的急診大樓也設計有功能完善的婦產科診療室、耳鼻喉科診療室、眼科診療室，裡面配置了相關的設備，可惜會診時，醫師們還是會叫我們把患者送到樓上去檢查。

其實，每次當我看到輸送人員送患者到二樓檢查室做檢查，就會想到這一段路程不近，少說也要走五分鐘，途中萬一發生問題誰來負責？這一點真的令我很難過，如果有足夠的醫護人員，能到急診為患者做檢查，就能減少許多風險。

我屢屢在「急診品質管理委員會」中呼籲改善此一現象，與會委員和相關科列席醫師無一人反對，主席裁示各科要配合。多年下來，根據我的觀察只有眼科林南詩醫師有做到，我空有完善的理念，卻難以成就，不禁大嘆是個人的能力不足、努力不夠？還是溝通技巧有問題？亦或是資源缺乏地區醫院管理者的無奈？還是說這理念根本是錯的？這其中有許多須要我們深入去檢討。

雖說「以病人為中心」的理念不能無限上綱，然而以上所談卻是放諸四海皆準的普世法則——「醫師將就病人」，這不只是慈濟醫院的問題，也是臺灣絕大多數醫院的共同現象。只不過，慈濟醫院的宗旨是「以人為本、尊重生命」，和「以病人為中心」的理念是不謀而合的，希望在不久的未來，能解決這一存在已久的問題。

以住院醫師為中心

為了急診的永續經營，我實施「以住院醫師為中心」的策略。諸如住院醫師不用上大夜班、每月上班時數不超過一百九十二小時、每個住院醫師看過的病人都要經過主治醫師的教導才能給護士執行、每週固定給住院醫師核心課程教學、緊急醫療救護教學、安排他們到榮總外訓學習、教學時間讓住院醫師去參與，由主治醫師留守。這一連串的利多措施是別的醫院沒有的，旨在希望能吸引更多的人來本院服務，因為足夠的急診專科醫師，是經營急診最基本的需求。

我自以為教學有特色，完全做到以住院醫師為中心，可以招收到很多有意願者前來。可是事與願違，只有在二〇〇〇年的招生時，同時有五位臺大應屆畢業生來應徵急診住院醫師，而且據說都是衝著我的名聲而來，可是之後的招生就每況愈下。最令我心痛的則是，慈濟大學的畢業生居然會去應徵其他的醫院，我並沒有責怪的意思，只是在自我檢討，我們到底哪裡沒做好，自己的學生居然會離家出走？我曾經問過他們的想法，卻還是沒答案。

難道「後山」這個地理位置果真是罪魁禍首？其實大家都相信「地處偏遠」真的是本院招攬人才的致命傷。急診專科醫師也不例外，經過十多年的經營努力，不但招不到足夠的急診專科醫師來院服務，連一向以教學自豪的我們，急診住院醫師的招生也不甚理想。幸好每年都還有幾位住院醫師前來，而留下來成為主治醫師的，不是從本院訓練留下來的，就是家住花蓮的。

我必須務實地承認「以花蓮慈濟做為急診人力資源中心」的夢想徹底粉碎，以致於我後來認為只要急診不倒店就阿彌陀佛了。

不過話說回來，就是因為我有做到「以住院醫師為中心」，才會有人來申請做住院醫師，如果沒有做到，也許甚至連一位都沒有。所以，「以住院醫師為中心」的方針並沒有錯，一定要堅定不移的走下去，不管有多少人來申請，只要反省是否真心對待住院醫師，我要一直以此勉勵自己。

慈濟醫院與慈濟

慈濟醫院很難招到醫師，除了「後山」因素之外，坊間對慈濟的誤解更有催化作用，有關的誤解在前面章節已有提到部分，再加上聽到一些離職醫師的不滿情緒及負面的片段之詞，對於日後要在慈濟醫院工作充滿不安，雖然也會聽到慈濟工作環境優良的傳聞，然而就是這分猜疑與不安，澈底打消了有心人要來慈濟工作的意願。為消除有心人的疑慮，特將慈濟醫院中與慈濟有關的活動介紹如下，以正視聽。

至於大家所關心的問題，是不是一定要參加慈濟的活動呢？例如「志工早會」、「人醫會義診」、「冬令發放」等，其實院方的立場都是採取鼓勵的態度，絕不勉強，更不會影響到薪資和考績。

特將慈濟醫院中與慈濟有關的活動介紹如下：

「志工早會」是慈院每天第一個也是唯一的常態性慈濟活動，醫院鼓勵大家多多參加。雖然這是一個很好的全人訓練場合，但絕無強迫之意，因單位眾多，每個單位一個月只分配到一天。輪到急診部的這天往往只有我一人參加，這是我的因緣和福報，感恩同仁們給我這個機會，他們之中有的正在當班、有的下大夜班也不能來，年輕一點的因晚睡也起不來，醫院都能諒解而不會處罰沒來的人。唯一的約束是每年要參加至少十次，否則住院醫師無法晉級，但一年有三百次可參加，我認為這樣的規定並不算過分。

「賑災」，每當國內外有災難發生，慈院都會組團參與賑災和義診，團員都是自由報名參加，因所需人數有限，有時報了名還不一定會錄取。故此活動應該不會給員工帶來壓力，反而是爭先恐後地想去一圓夢想。慈濟人醫會每月都會固定到不同的偏遠地區義診，有時會向醫院徵求自願者前往，同樣是沒有強迫性，是給醫師一個發揮愛心的機會。

另外，慈濟每年有四大活動：歲末祝福、浴佛大典、院慶、國際人醫會年會，這些活動的共同點也是徵求志願者參與，從不會勉強。前三項活動跟醫護或員工有比較緊密的關係，這些活動的共同點就是有手語表演，慈院都會全力配合，派出醫護同仁參與，當然也是徵求志願者參與。在演出日的前一週左右，利用下班時間練習，故也不會耽誤醫師看病人的時間，卻有可能因看診而耽誤了練習的時間，然因醫師們天資聰穎，只要來彩排過一、二次就可以上場，還表演得有模有樣。國際人醫會年會則是人醫會會員的活動，因安排的演講內容精彩，會場就在本院旁邊的靜思堂，慈濟員工可以挑自己有興趣的題目去旁聽，可以增長見聞。

「茹素」，有的人會因為來慈濟上班就要吃素的問題而煩惱，事實上慈濟醫院在這方面是有堅持、卻也有人性化的一面。亦即在醫院只提供素食，如果一定要吃葷食，就到院外的餐館去吃。我的看法是規定吃素並不是壞事，何況實證醫學早已證實吃素是對人體有益的。一天只需在醫院吃一餐素食，權當是換換口味反而新奇，應該是很容易接受的，更何況慈院的素食做得又很好吃。

綜觀以上所提的一些慈濟醫師必須面對的活動與規定，無一不是符合人性的需求，沒有人會因為這些規定而裹足不前，剩下的一個影響因子就是「待遇」的問題。待遇的多少才是合理、才會滿意，沒有一定的標準，它取決於各人的「價值觀」，在慈濟世界裡更是個很難回答的問題，它永遠是勞方與資方在拔河與爭吵的議題，我們能體諒慈院在這方面的作法與想法，我相信也看得出大多數在慈院工作的同仁都不太計較這個問題，大家都是抱著做功德的心情，貢獻心力於偏鄉的同胞。佛家常說：「有一得必有一失，有一失必有一得」，也有愈來愈多的年輕醫師不圖「錢多」的醫院，卻尋求「事少」的工作環境。慈濟急診在這方面倒是蠻符合這些人的期望，再加上前述的一些優勢，是急診醫師很理想的修行場所，千萬不要人云亦云、道聽塗說，機會要把握在自己手裡，若讓因緣空過，將會悔恨莫及。

急診「三劍客」

一九九六年來慈濟時是部定副教授，那時我對急診醫學研究的動力非常強，手上的研究計畫也沒有停過，二〇〇〇年很順利地升等為正教授，更是國內獲頒急診教授的第一人。

當時是急診住院醫師招募的全盛期，有很多已具教授資格的基礎醫學醫師，紛紛轉行投入急診醫學的懷抱。陳立光醫師本是國防醫學院免疫學教授，於一九九九年來花蓮慈濟醫院擔任急診住院醫師，完訓後考上急診專科醫師，順理成章地在我們單位擔任主治醫師。大約同一時期，學病理的韓鴻志教授被挖角來本院做基因的研究，因為他是在臺北榮總接受住院醫師訓練的急診專科醫師，故同時也在急診部門擔任主治醫師。

這時急診的主治醫師群就有三位部定教授，對一個新興學科而言，簡直不可思議，當時有一些醫院急診部門甚至連一位副教授都沒有，而我們居然有三位，醫院非常引以為豪，甚至有人稱我們為「急診三劍客」，其實我們三位醫師很低調，並不認為身為教授就代表比較優秀，雖然三位都是教授是頗為難得的因緣，我們反而更加戰戰兢兢為病人服務，提醒自己不失本心。

人性化管理　醫病間的尊重關心

我非常珍惜急診的專科醫師，為了希望大家能留下來並勝任愉快，我不但主動分攤假日班、沒有人上的時段班、除夕和大年初一的班、以及過年時支援合歡山緊急醫療等艱困時段都是我來承擔。平均下來，每月上班的時數大約一百六十至一百八十小時，試問在臺灣各醫院的急診部門，有哪一位醫師年過六十仍然每個月在第一線看診一百六十至一百八十小時，我為何要這麼做？這一切的一切都只為了一個原因，那就是希望看到慈濟的急診部門蓬勃發展，

因為慈濟難以提供非常動人的薪資，唯有讓他們感覺在此地工作很愉快。一旦主治醫師上班很快樂，雖無高薪也有可能留下來。如果我唸

了他們，即使語氣很溫和，只怕他們也快樂不起來，如果不快樂就怕會走人，一旦有一、二位離職，就會有骨牌效應、惡性循環，屆時就會請樓上醫師下來值班，這時院方就會兩難，說不定還會造成樓上醫師離職的骨牌效應。所以把急診的人力顧好，就不會給院長帶來麻煩。

我可以很肯定的說，留在慈濟的醫師都很幸福。在慈濟講「很幸福」其背後含意其實是很辛苦，但我這裡所說的「很幸福」是真的很幸福，因為我曾經到過很多家醫院評鑑過，甚為瞭解其他醫院的上班情形，有些業務量超大的醫院，醫師上班時用「水深火熱」來形容亦不為過。

茲將花蓮慈院急診醫師所以幸福的原因摘要如下：

當我們走進急診的大廳，首先映入眼簾的是「佛陀問病圖」，讓你感受到莊嚴平和的氣氛。再舉目四望，看不到幾個熙來攘往的病人、家人、和過路人，這和西部大多數醫學中心急診像極了菜市場的情形，簡直是天壤之別。在這裡上班，不會有「人群」帶來的壓力，因為我們的診間設計是有門禁管制的，做法上雖是柔性勸導，當看診時如覺得周圍的人太多，可以名正言順地請陪伴的人暫時離開，到目前為止我還沒有看到有人抗議過，可見民眾是可以被教育的。在走道上，遇到慈濟志工的問候，心情總會有一種受尊重、被關心的感覺。志工們擔心醫護人員無法準時吃飯，還會貼心的送上水果、點心，在這樣的環境中上班，是不是覺得很幸福呢？

就住院醫師而言，所看診的每一位病人都有專科醫師指導，也有扎實的教學活動，如碰上教學活動時間，專科醫師都會守住臨床的工作，讓住院醫師可以去參加，每天都浸潤在慈濟的人文環境中學習，上班時有一點忙又不會太忙，亦即不會忙到令你心情變壞。不用上大夜班，可以到北榮外訓，更是二大利多，是其他醫院的住院醫師所夢寐以求的。

就專科醫師而言，也許這裡的待遇不是最好的，工作上的忙碌情形卻比外面相對輕鬆許多，尤其和其他醫學中心相比，一般來診量動輒每天二百五十至三百五十人之間，而花蓮慈院則是平均每天一百五十人，還有住院醫師和專師幫忙。除非是星期例假日，大多數時候都不會讓人忙到喘不過氣來、沒有時間吃飯或上廁所，而這正是其他醫院所常見的現象。

後線醫師配合的程度也是急診醫師決定去留的因素，留觀病人太多住不進病房，也會困擾著急診醫師，花蓮慈院卻沒有這方面的煩惱，因為這裡的急診主任有擔當，願意承擔責任。慈濟急診專科醫師上班最自由，願意上多少小時的班、何時不想上班，都可自行決定，大家都不願上班的日期、時段，主任會自行吸收。以上這些優惠措施，您看了是否會心動呢？

照顧部屬也是我的管理哲學之一，不只是因為收買人心這麼單純的心理，緣自於提攜後輩、弘揚急診的一股動念。我總是勸年輕人要到外面走走，看看外面的世界，只要急診醫學會的年會，或各項活動，我都鼓勵大家參加，來回的交通費及報名費均由科基金全額補助。藉此機會和其他醫院的醫師交流、經驗分享，向前輩們請益，更可以見見多年不見的老友、同學，可以說是好處多多。

至於在國外舉辦的國際級醫學會，我更鼓勵年輕人要踴躍參加，如此可以開拓個人的眼界，而眼界決定視界，跟外國人交談還可以培養「說英文」的膽量，到國外遊山玩水更是開闊視野的好時機。

為了不讓年輕醫師因考量龐大的交通費支出而裹足不前，我會將我的研究論文讓年輕醫師掛第一作者，醫院就會全額補助出國的來回機票及住宿費，也算是給表現優異同仁的一種獎賞，年輕醫師出國開會的動機就會強很多。二〇〇三年時就用這樣的方式讓我的資深住院醫師到澳洲開急診醫學會，也帶領過二位資深住院醫師到廣州開急診醫學會。事實上在一九九三年於北榮任職時，就用這樣的模式帶領優秀的學生到義大利參與歐洲緊急醫療救護年會，還善用時間參觀歐洲有名的景點，例如：水都威尼斯、法國凡爾賽宮和羅浮宮、羅馬競技場、和倫敦附近的所有有名景點。

在醫學中心工作的醫師，基本任務之一就是要寫研究性論文，有些主治醫師幾年下來還是沒有完成，但這不是件可恥的事情，所謂「鐘鼎山林各有天性，不可強也！」何況醫師們的教學和服務都很好，已屬難能可貴，所以我會願意將研究論文讓這些優秀的醫師們掛第一作者，既解決了對方的難題，達到了醫院的要求，我們的團隊又可以順利的運作，何樂而不為呢？

防範急診暴力　軟硬體及流程改進

每當有國內外來賓來本院交流或講習上課，主辦單位常會帶他們來急診參觀，我總會如數家珍般將急診的特色娓娓道來，儼然是專業嚮導，希望來賓們聽完介紹，能留下深刻印象。這棟急診大樓具有防震的概念，急診部的設計又有特殊災難應變和新興傳染病應變的概念，同時也有「以病人為中心」和「預防急診暴力」的設計。

典範建築，急診大樓

急診部位於「合心樓」的第一層，取名自上人的「合心、和氣、互愛、協力」的勉勵之語，又叫「急診大樓」，是許常吉建築師事務所承包設計，在大樓施工前一至二年期間，事務所的建築師就不斷地來到舊急診找我，共同研商規劃新急診的隔間及動線，我提供了不少建議，他們也都很有耐心地接受，甚至已經施工了百分之八十，我只要一發現問題，還是會請他們修改，感謝眾人的包容和用心，一起讓這棟急診大樓更好。

其實，整個動線、空間規劃處處可見我想倡導的理念，如果說急診大樓是我的心血結晶，一點也不為過。在建構急診大樓期間，也正好是SARS（嚴重急性呼吸道症候群）肆虐之時，我們把因應SARS的概念建築也設計進去。歸納言之，這棟急診大樓有以下特色：一、動線講究是「人車分道、輕重分流」；二、有內化的新興傳染病篩檢站；三、有內化的因應危險物質事件的除汙室；四、診間和候診區有明顯的區隔；五、急救區的內部空間旁邊就是電腦斷層室；六、有如加護病房規格的隔離區，包括一間負壓隔離病房，該區可容八位病人，必要時可做加護病房使用；七、本大樓具有抗九級地震的功能。

我非常重視教學，但原本設計的會議室太小，不利於教學的實施，很多人站或坐在門外聽講。因此我極力爭取要將會議室擴大，數次爭取都徒勞無功。後來慈濟醫學雜誌社要搬遷，我向王志鴻副院長爭取將此空間留給東區緊急醫療應變中心（EOC），而在急診大樓內的EOC辦公室就改裝成急診會議室，感恩王副院長接受建議。

急診病人愈來愈多，原來空間已不夠使用，再加上對病人隱私的重視，急診大樓的空間大改造勢必要進行，我和營建處討論許久，改造方案終於底定，在二〇一一年底完工。此後同時有八位醫師能在此處看診，另增加三間隱密診間，比以前多容納十位病人。從此急診醫師的工作環境變得寬敞舒適，急診病人也會獲得更堅實的隱密空間，更不會有病床無處可擺的窘狀。

診間的問題獲得解決後，我又開始為急救區的擁擠而煩惱，為了加速檢驗的流程，急診檢驗決定搬遷到中央檢驗室，這塊空間正好空出，可以好好利用，於是我建議進行二度急診空間改造工程，其內容是：一、將急救區擴大到可以同時容納六床，多出來的二床還有前室，可做隔離床之用，用以收容會感染的病人；二、原急診檢驗室空間規劃成幾個小房間：溫馨會談室、保全室、社工辦公室、用膳間、護理長辦公室等，如還有空間則做診間使用。

為求慎重起見，院長請我將此案拿到院長室會議報告，與會主管無一人反對，再經過營建室同仁的全力配合，此案經過數月的畫圖與施工，終於在二〇一三年六月評鑑前完工。我對於現在的空間及動線非常地滿意，希望急診醫護同仁在此工作，能增加幸福指數。

善用門禁管制

原本急診作業空間的設計理念是有門禁管制的，我堅持把診間與留觀之間的走道兩邊的門關上，但未如願。若干年後因社會上瀰漫著急診暴力的氣氛，衛生署於二〇一一年提出解決之方，通令各醫院必須要做門禁管制，見此命令我欣喜若狂，我的門禁管制理念終得實現。

二〇一二年二月中旬我們正式實施門禁管制，由四個門做把關，欲進入急診者須用磁卡感應才會開門，書記處也可掌控門的開關，且規定每位病人只允許一位陪伴者，警衛及志工們則幫忙做柔性勸導。門禁管制試行了二個月，診間的秩序果然好多了，有時會見到太多陪客進來，我就上前勸說請他們離開，大家都很配合，本來我還擔心會有不少投訴單，結果是一張也沒有。

我們原來的規定是，只要急診以外的醫、護、行政人員全都在管制之列，預料醫師們必會群體反對，結果是出乎預料的順利，只有一位醫師激烈地抗議，少數醫師雖跟我表達不方便之意，然而態度是溫和的，可見絕大多數慈濟的醫師都是很善良的。為了回饋這些良善的醫師，經深思熟慮之後我改變了主意，簽請院長同意本院醫師們均可憑磁片進入急診。畢竟他們也有要來看會診的需要，開放醫師們可以進來並不會造成副作用，千萬不要有「以小人之心度君子之腹」的心態而想太多。很高興這樣的理念也能被家屬認同。

門禁管制除了有防範急診暴力的作用，還有顧慮病患隱私、降低急診壅塞、減輕醫師看診壓力等多重作用，然而若無其他配套措施，對於遏阻急診暴力，功能還是有限的。故而在診間的天花板裝置很多攝影機是很重要的，攝影的範圍必須沒有死角，除了錄影還要有收音的作用。基於此一原則，當急診改建工程完工後，我向院方請求增購錄影機，務求診間內沒有死角。

大約一個月後，急診果然發生了一件很嚴重的口頭暴力事件，我們準備對此暴民提出告訴，然而在收集錄影資料時卻發現事發地點是死角，我用電子信箱向受害護士表達歉意。我憂心醫護同仁的安全問題，找來承辦人員將攝影機做架設位置的重分配，我的原則是以下區域一定要照到：病人等候區、檢傷掛號櫃檯、急救區、診間區、留觀護理站，以上區域絕對不能有死角，至於其他區域則因為發生暴力的機會較少，或較少擺放病人，在經費有限的情況之下做這樣的安排。

另類急診暴力

二〇一三年春節甫過，在回臺南老家探望媽媽的日子，突然看到報紙刊載了一則有關慈濟急診負面的消息，大意是說「有一位老先生被家人送來急診，三十至四十分鐘都沒有人處理，而且護士還拿出名牌說：『你去投訴我好了。』」

看到這樣的報導內容，第一時間，我的反應當然也是感覺這樣的態度有問題，回花蓮的火車上，就接到來自衛生署的電話，詢問有關此事的詳情，我立刻打電話到急診了解，並回覆衛生署：「病人是第二級病人，晚上八點零六分掛號，十一分時就看診，有做頭部電腦斷層，留觀到隔日，現已出院。整個事件處理都很快速，唯一的問題是不該拿出名牌來刺激病人家屬，院方已經出面跟病人解釋說明。」

回到醫院第二天，我立刻著手調查此事，原來事情遠比我所知道的還要複雜、嚴重得多，甚至深深地傷透了每個急診人的心，這樣的苦與所受的委曲卻又只能往腹內吞，於是我帶著一束花去安慰這位護理師。護理師委屈地解釋：「我聽到家屬的呼叫就去看病人了，然後問醫師們有誰能先來看診，張醫師立刻出來看診，我幫家屬找到醫師後回位子上做事，家屬覺得我態度差，跟著到護理站，一直想看我的名牌，這動作令我很不舒服，所以才遮出名牌。」我安慰她：「妳受委曲了！我們都知道妳是盡力在處理，但是也還有改進的空間，以後千萬不要被病家的態度刺激，而做出任何會讓人誤會的動作，希望妳會喜歡我的花。」

不久，院長召集相關人員開會，檢討這件事情的因應有何改進的地方。我向院長提出的建議是：「一、請法律顧問主動找這位護理師談談，說明訴訟的利弊影響層面，如果她想對病家提告，醫院可以幫忙協助打官司；二、醫院可以考慮向病家提出毀謗的訴訟，因為病家在網路上散播不實的負面消息，損害到本院的名譽，這些證據是很容易收集到的。」

會中陳培榕副院長提到：「病人的訴求是，我們沒有在第一時間幫病人處理頭部流血的問題，因此急著找護士叫醫生來處理，護理師說：『醫師都很忙，等一下就會來。』這時在不遠處的張醫師聽到了這段對話，立刻去處理病人，這時距病人掛號只有五分鐘。事實上，病人在檢傷的時候，護士就已經拿出紗布蓋在病人傷處給予止血，並且請送病人來的救護技術員幫忙壓著。」從這一段過程可知，我們早已在處理病人，只是沒人說出來而已，才會造成病家的恐慌和不滿，真的是始料所未及。

我從事急診醫療近三十年，這類事情遇過很多，醫護人員一旦稍微有些情緒反應時，就可能陷入被投訴的命運，我真的要為這一群「明知山有虎、偏向虎山行」的偉大的急診人致敬。

不過話說回來，我們真的就要這麼認命嗎？所謂危機也是轉機，這件事情引發我徹底的反思，也許這類事情還會繼續發生，環境還是一樣艱困，我們不應該也不願意讓歷史重演。經過多日來的思考，我認為只要建立一個「以病人為中心的標準作業流程」，應該有助於改善這些問題。

標準作業流程的重要性

所謂「以病人為中心的標準作業流程」，是用團隊的觀念來運作，在臨床作業當中，聽到或感覺到病人或家屬有不滿或高亢的音調時，任何醫護同仁都有責任去處理。如果大家都有事在身，就由小組長先接手處理，但有時小組長會暫時離開，這時就由副組長代理，並要求組長與副組長不能同時離開診間區，如必須同時離開，現場就要指定一代理人。

如果沒有設計這樣的制度，只是道德勸說請有空的人去處理，很可能會掉入「三個和尚沒水喝」的窘境。建立正確的制度，將可確保有專責之人來處理問題。另外，與病人的溝通又是另一重要的關鍵因素，如果溝通不良，也可能引起軒然大波。

學習正確的溝通

溝通之精在於解決當事人所在意之事，並且用同理心的態度、語句去處理，重要的是，要用病人能理解的語言去說明。

舉例說明，一位手部受傷的病人，醫師看完後認為可以出院，囑咐日後門診追蹤即可，當醫師在處理其他患者時，突然聽到該病人有不滿的聲音，我去瞭解狀況，病人說：「為什麼手部傷口都還沒處理？」

護理人員一再強調：「早上就已經做傷口清洗！」我終於瞭解了爭執的原因，如果護理人員在說完上句話，接著說：「清洗傷口也是一種處理。」就不會有問題了，因為病人在意的是「處理」，所以我們必須把「處理」這二個字放到說辭裡。更高層次的說明可以是：「處理分成很多種，在急診能做的就是把傷口清理乾淨，如果要做到清創，把髒的肉切除，就要到開刀房處理。」

換句話說，就是要用病人聽得懂的語言說明，以去除病人的疑慮。以本個案為例，如果護士說：「我們先用紗布壓住傷口，就是在做止血的動作，即使醫師來看也會先做這樣的處理，不過他們現在沒空，等他們看完手上的病人就馬上過來，在現階段還是以加壓止血最重要。」如此的說辭是否比較可以緩和病人不滿的情緒呢？

所以說「溝通、溝通、再溝通」，良好的溝通是減少醫病糾紛及急診暴力的不二法門。

急診百態　小故事談因應之道

情緒處理

在二〇一一年的大年初一，起了個大早，懷著一顆興奮的心情，去參加志工早會，因為今天輪到我分享。當經過急診部的時候，看到「人數看板」上的數字，發現果然年節已悄悄地到來，上面寫著除夕當天的病人數是二百五十四人，約為平常日的二倍，是只有過年才會有的數字，然因我們因應得宜，比平常多排一些醫師和護理人員，故而流程順暢，看不到壅塞的情形。要感恩院長及各單位的支持，使急診室可以順利運作；更要感恩院長到急診來向工作人員及病人發放紅包及慰問，我要代表全體急診工作同仁和病人向院長致謝，讓我們有家的感覺、更有年的味道。

這次除夕的病人多到有一些離譜，比去年除夕整整多出一百四十六人，按常理分析，除夕的病人應該不多，因為是全家團圓的日子，大多數人都想要留在家裡圍爐吃年夜飯，即使有病痛也會忍耐，已經在醫院留觀的也會想要勉強出院回家團圓。可是在吃過年夜飯後，很多病人如潮水般湧入急診，短短幾小時就寫下來診一百多人的記錄。

病人雖然多，但大多是A型流感及急性腸胃炎等，不致太嚴重，唯有一些個案，是急診醫師揮之不去的夢魘！

第一例：當我在整理病歷的時候，忽然從前方傳來高亢的語調：「還不趕快處理病人，這是什麼醫院！」原來是病人的家屬，因對我們的處理不滿而發出的牢騷，只聽到住院醫師很溫和的對這位先生說：「這位弟弟剛照完X光，結果還沒有出來，要再等等。」「有什麼好等的，從外表一看就知道，就可以馬上處理的」，這位先生顯然已經失去了理性，完全是情緒化的發言，而且愈說愈大聲。

這時全急診室的病人或家屬都備受影響，我走上前去低聲地囑咐大家要忍耐、不要發言。果然沒多久，現場完全安靜了下來，等這位住院醫師忙完後，我悄悄詢問：「剛剛那一幕我都看見了，妳是不是很害怕、有什麼想法？」「還好！我並沒有耽誤看診的時間，才剛照完X光而已，因尚未傳過來，所以我先去處理別的事情。」住院醫師有些委曲。

「妳表現得很好，雖有滿腹委屈，卻沒有跟病人起正面衝突，還能和顏悅色地跟家屬解釋。這種語言的暴力在急診是司空見慣，我們必須學著因應這一類的事情。」我接著說：「這時病人多半在情緒上，大多聽不進任何說辭，最好的辦法就是『忍』，所謂『忍一時風平浪靜、退一步海闊天空』。所以必要時妳還得暫時離開，當他看不到發洩的對象了，自然就會平息下來。何況病人或家屬心情都是很著急的，幾分鐘的等待他會以為是等了幾個鐘頭，雖然這只是很平常的、甚至非常短暫的等待，如果我們能夠很誠懇的說出『對不起！讓你久等了！』相信事情的發展會有不一樣的結局，旁觀的第三者在看待這件事情的時候，必定對妳會有正面的評價，因為妳展現出非凡的氣度，不是一般人能做到的。總之，適時的道歉是一帖良藥，常能化解糾紛於無形。」

我從戴著口罩的住院醫師眼神中，感受到她已經歷了一場印象深刻的「醫療倫理」的洗禮。這個故事告訴我們，急診暴力是急診人的宿命，誰也無法避免，唯有學會如何因應才是上策。

藥物成癮

這是小年夜的下午時分，當我正在看診的時候，隱隱約約的聽到一位病人的哀求聲：「拜託啦！給我打一針morphine（嗎啡），這是最後一針。」住院醫師回應：「不行！妳早上才剛打過，這種針不能打太多，打太多會上癮。」病人又哀求說：「可是我真的很痛耶！」醫師又說：「我可以幫妳打一針非嗎啡的止痛針。」病人強調：「不行，我一定要打嗎啡針。」

她一直纏著這位醫師，就這樣來來回回、反反覆覆地重複以上的句子，使醫師根本無法看別的病人。我走過去跟醫師說：「讓我來處理這位病人，你先去忙。」我轉向病人說：「我們是為妳好，妳已經有上癮的跡象，早上打了一針，所以今天絕對是不能再打了。」病人再度苦苦地哀求：「我保證這是最後一針。」我當然不會相信她的話，她又重複著以上的訴求，我則堅定地拒絕。

病人一直拿著點滴架站立在我面前，一點都沒有要離開的跡象，我思索著要如何處理，我說：「那我們幫妳會診精神科醫師。」「不要！」病人快速而果決地回應，原來她不喜歡今天的精神科值班醫師，我於是說：「那我換一位精神科醫師看妳，好不好？」「不要！」病人還是很果決地回應。我忙來忙去，病人如影隨形、亦步亦趨，警衛也進來關心，我說明病人並無暴力的傾向，警衛才先離開。

就這樣耗掉一個下午，直到快下班時刻，我們把這位病人送進留觀區觀察。

第二天一早查房時，我將這位病人的病歷翻了一下，簡直快要昏倒，因為昨晚住院醫師已順她的意思為她打針，等於宣告昨天所有的努力完全破功。我一方面向昨夜值班的醫師詢問清楚，一方面自我檢討，為何沒有將這位病人的情形交班清楚？

這個故事告訴我們，面對藥物成癮的病人，一定要態度堅絕，向病人曉以大義，勇敢地說：「No！」團隊的每位成員有一致的做法也是很重要的。當然，如果院方能配合將成癮病人的麻醉藥品用電腦鎖檔，則可以省去急診醫師很多寶貴的時間，就能達到幫助病人的目的。

忍一時，風平浪靜

某個三月天的午後，一位四十二歲的中年婦人，被簇擁著送入急診室。婦人面帶愁容、似乎曾經哭泣過，一群家人把急診室擠得只剩下一丁點兒的空間，剛巧這時候急診室異常忙碌，於是我走到他們之中婉轉地說：「因為急診空間有限，容納不了這麼多人，每位病患可以有一位家人陪伴，是否能請其他家屬或陪客到外面大廳稍作休息？」家人們聽到我的勸說後，很快速地離開了診間，這時突然聽到婦人病床旁的一位壯年人，口氣很不友善地大聲喝道：「為什麼還不處理？」我轉向跟他解釋：「醫師已經看過診了，現在護理人員正在準備藥品。」

沒想到這位先生完全無法接受我的說明，衝著我一直開罵，我心中明白，此刻如果跟他做任何說明，可能都無法接受，只會把現場狀況弄得更糟，於是我選擇暫時消失在他的視線之內，先「躲」起來再說。

果然過了沒多久，終於聽不到叫罵聲，於是我再現身，看到那位先生已不在病患身旁，我立刻拿了病歷再次了解病情。原來家人主訴病患意識不太清楚，但其實呼叫名字，病患都還能自行回答，只是臉上顯露出很傷心的樣子。

快速血糖檢驗顯示血糖是正常的，血壓、脈搏、呼吸也都正常，根據我的專業及經驗，我認為她的生命目前沒有危險性，但因病患有糖尿病病史，而糖尿病是冠狀動脈病症的高危險因子，為了保險起見，也幫病患做了一張心電圖，結果亦顯示正常。

當我正專注地向病患解釋病情、請她放心的當下，那位壯年人突然出現，一開口就一直向我道歉，他說剛剛因為太緊張，一時衝動，請我原諒。我當然不會跟他計較，我說：「沒關係！病患沒事就好。」隨後病患被推入留觀室觀察，第二天一早所有檢查顯示都正常，病患要求出院回家，家屬的情緒也平靜了許多，整個事情就這樣平和的落幕。

急診暴力，溫馨處理

還記得我剛來花蓮慈濟醫院不久，擔任急診室主任，一天清早就碰到一位剛值完夜班的護理同仁，她說有位護士被病患打了一個耳光，想請我去安慰這位同仁。

我問明原委，才了解前一晚大約九點鐘左右，一位喝醉酒的病患來掛急診，護士們按程序幫病患檢傷，然後安排到推床上給予抽血、打點滴，當然因為酒精的作用，病患躁動不安，這是可以理解的。但是正當護理人員幫病患打點滴時，冷不防地被病患突然揮來的一拳打到臉上，這名護士並沒有與病患計較，反倒很冷靜地做完該做的工作。但我們可以想像這位莫名遭受暴力的護理人員一整晚的心情，一定是鬱悶到極點。

聽完這件事，根據多年來帶領急診團隊的經驗，我警覺到事情的嚴重性，如果當天我不妥善處理，對於單位內所有員工士氣的打擊，必定會有連鎖反應。我趕緊找到這位護士，先安慰她幾句，再表明立場：「主任一定幫妳討回公道。」

當時病患還在留觀處，診斷欄寫著：「酒精中毒」。我走到床邊向病患說：「我是急診室胡主任，聽說您昨天晚上打了我們護士小姐，您身體很不舒服，我能理解，但出手打人是不對的，您覺得呢？」病患說：「我沒有打人，我絕對沒有打護士。」「很多人都看到了，而且有人證。」沒想到病患仍然堅決否認有打人的行為。我只好再度表明立場：「希望您能在一天之內向護士小姐道歉，如果明天您還是沒有道歉，不好意思，就請您準備在三天後接法院的傳票吧！」雖然不願意如此撂狠話，但是醫護人員的尊嚴還是要維護。

第二天上班時一碰到那位護理，她就告訴我：「主任，病患昨天晚上帶著一束鮮花向我道歉了！」懸在我心中的一塊石頭終於落下來。從此我也更有自信帶領急診團隊，繼續照護病人。

其實，急診室也曾碰過黑幫械鬥之事，傷者緊急送來醫院急救，除了病患的親友趕來找人之外，對方因為怒氣未消，也聞訊趕到急診室尋人，現場氣氛劍拔弩張、一觸即發。幸好急診同仁訓練足夠，反應機敏，發現狀況不對勁時，馬上就通報院內警勤人員，聯絡管區警察來關切，否則，兩派人馬在醫院裡械鬥，後果真是不堪設想。

二〇〇五年十月初，也發生急診外科醫師因為還在檢視前一位患者的病歷，讓想要看診的傷者的友人心生不滿，為抗議醫師動作太慢，他從背後拍打醫師兩次，保全人員立刻上前阻擋，然後報警處理。當警察趕來，詢問醫師是否要提出告訴時，因為警衛及時阻擋，並沒有人員受傷，醫師決定不提出告訴。第二天一早，醫院警勤組忽然接獲「某位大哥」親自打來的道歉電話，才知道前一天晚上出手拍打醫師的人，是這位「大哥」手下的小弟，他表示對不起院方，都是「小弟」喝醉了鬧事，不懂事也不像話，大哥還拜託院方代他向醫師致歉。

病人指定醫師，怎麼辦？

一個夏日炎熱的午後，當我巡視完留觀室的病患，遇到一位住院醫師滿臉委曲：「主任！我碰到一位態度極差、滿不講理的病患，不知道要怎麼辦？」我請她把當時的情形詳細道來，她說：「是位年約五十歲的女性病患，一到診間還未等我開口，就破口大罵：『這是什麼醫院，為什麼醫師還沒來，我們不是已經約好了嗎？請趕快打電話叫某某醫師下來，我得的是盲腸炎。』正當我要開口解釋預備作法，又被她的話打斷。她說我們的服務不好，我真的不知道該怎麼辦？不知道我錯在哪裡？」

我輕拍她的肩膀，好言安慰：「不要急，要忍耐！妳沒有錯，讓我來處理，這位病患在哪裡？」住院醫師告訴我這位病患的床號之後，我走到床邊向病患自我介紹：「妳好！我是胡醫師，是這裡的主任，請問妳哪裡不舒服？」「我右下腹痛。」病患態度甚佳，於是我為病患做身體檢查並詢問更多的病史，我發現不像是盲腸炎。我說：「根據檢查，妳應該不是盲腸炎，我們先做抽血檢查，比較能確定病症。妳所指定的醫師我們已經聯絡，他一會兒就來。」

我回到診療桌向住院醫師說明病患的病情：「病患現在態度還不錯，不過不像盲腸炎，該做的事情還是要做，該抽的血還是要抽。」滿臉擔憂的住院醫師才定下心來去做自己的事情。

走出診間，到了掛號櫃臺，變成檢傷人員投訴：「主任！剛剛有一位病患態度不好，一來就說要找某某醫師，我不知道該怎麼辦？」原來是同一位患者，看來這位病患的行為已經引起了大家的困擾，我有必要將這類情況的理想作法，和大家溝通討論。

隔天隨即邀請眾人開會討論：「與急診有關的醫療倫理與法律」，我細述這位患者的狀況，然後問大家：「以後如果有病患一來就指名要找某某醫師，你們要如何反應？」每位同仁幾乎異口同聲地指責這樣的行為，於是我說：「大家的心情我可以體諒，我年輕的時候也跟你們一樣嫉惡如仇，甚至有過之而無不及，但是最近心境有了轉變，我覺得只要順利完成看診，可以達到幫助病患的目的，解決病患的問題，一切的過程可以不必計較。因此我會跟病患說：『好！我馬上幫你打電話，但是醫師不可能馬上就到，我們是否先做一些檢查，當那位醫師來時，有了更多的資料，他比較好做判斷。』」每位同仁聽後都點頭認同。

這時突然有一位同仁舉手問道：「假如有人半夜三更跑來指名要找院長，要不要幫他打電話？」我不假思索地回答說：「當然要。」事實上，在實際作業時碰到要找院部主管，我都會先跟病患曉以大義：「院長很忙，可能一下子找不到，不如先做檢查，等有了結果，我們再請院長與你通電話。」如果病患還是無法接受，我會照病患的意思去做。

會議結束，大夥滿心歡喜地離去，我知道她們定然有了刻骨銘心的感受，可見溝通的確很重要，解決問題很重要，更要學習如何安撫病人。

正如《靜思語》所說：「悲即是同情心。能互相寬諒、容忍，表現一份寬心、愛心，即是悲心。」「最幸福的人生，就是能寬容與悲憫一切眾生的人生。」

理智與情感的掙扎　爭取同仁待遇

急診部運作十多年來一直相安無事，最要感恩的是任勞任怨的主治醫師和所有的醫護人員，他們盡心盡力跟我一齊打拚，這種真情，我一直銘記在心。

但自二〇一三年初以來，部內突然瀰漫著一股不安的氣氛，耳聞有三至四位主治醫師要離職，經過側面了解才知道，是因為逐年增加的臨床工作壓力已達臨界點，因不堪負荷而萌生辭意。

為了安撫人心，我鼓足了勇氣，向院長提出了調整主治醫師薪資結構的舊案，還請主治醫師們做足功課，收集了其他醫院的資料，再加上他們自己的想法，並做了以月平均人數為基礎的試算，向財務部門提出並轉呈院長核定。他們的訴求歸納之，包括：總薪資要與他院相當、薪資以時薪加服務所得為基準、再加上因教職和年資的不同而有所鼓勵等等。我覺得甚為合理，故將他們的原案完整上呈。

院長甚為重視此案，召集了院長室長官、財務室和急診主治醫師開會，總算暫時得到一些共識。同仁回來後再反覆試算，覺得和原來的狀況差異不大，因此又提出新的方案，希望能再接近外面的薪資，其訴求又著重在拉高白、夜班值班費的差距，及平日和假日值班費的差距，另一重點是增加五、六、日、一各班的上班人數各一人。我認為這些訴求都非常合理，於是再次上呈，沒想到又被砍了大部分，只象徵性地調升了一點點。

我將此初步定案的訊息向同仁宣布，發現氣氛異常詭異，平日表現很好的主治醫師不來報告品質指標部分，多位主治醫師也不來參加部務會議，我感受到最怕的危機終將到來。

責任感的驅使令我必須向院長報告，我預估可能有二至四位主治醫師會離去，如果走了幾位而不能再補幾位，就會有骨牌效應，造成其他主治醫師相繼離去。這樣的結局實非我所樂見，慈濟的急診絕對不能倒，因此我寫了一封「理智與情感掙扎」的心路歷程有關的信函給院長，再次向院長建言。

理智上，我同意院長的理念，營運財報至少要收支平衡、醫院長期虧損一定要開源節流、病人數不多就不要增加人手、醫院財務狀況不佳就要共體時艱；情感上，我更支持同仁們的訴求。因為從事急診醫療近三十年，有關急診的生態、急診的脈動、急診的問題等等，我有更深層的體認。

我曾是國內最高齡的第一線急診醫師，深深瞭解同仁們內心的痛苦，他們的訴求我都能感同身受，我更能體會在夜深人靜的時候，人力資源最少，萬事都要靠自己，那是個不安和恐懼的時刻。痛苦雖然不是每天發生，然而只要有幾次，就足以讓人心存畏懼而裹足不前，可怕的是這種機會是愈來愈多了。更何況不定時出現的急診暴力，和因不典型症狀來到急診所造成的醫糾風險，都足以讓大多數的醫師視急診為畏途。給他們稍高的待遇也在情理之中，雖然俗氣，畢竟是俗人做俗事，也不忍苛責。

換另一個角度來看，如果院長堅持一開始的想法，後果已如前述，我斷言內科不會願意下來值班，何況他們的人力早已是泥菩薩過河自身難保。以這個方案的待遇也絕對招不到外面的急診醫師，故我建議還是答應同仁們的要求。我認為同仁們的訴求完全合理，以下是我的分析：千萬不要用病人量來衡量上班需要的醫師數，高檢傷級數且又複雜的病人相對多是我們急診的特徵、東部地區的轉診中心是我們必須承擔的使命、愈來愈多需住普通或住加護病房的病人在急診等待更是不爭的事實，以上諸現象在在需要多一位人力上班，以去除同仁們惶惶不安的心緒。千萬不可拿臺北又容易招到急診醫師之醫院的薪資做比較，要與既是醫學中心又難招到急診醫師的醫院相比才有意義。再者，本院的使命是照顧全東部地區的民眾、發展急重症醫療，故花蓮慈濟急診絕對不能倒，如果不幸而言中，將是我此生中不可承受之痛，只有為我領導急診的失敗而負完全的責任。

我也向院長明言，為貫徹責任制，若我的經營理念、提案與本院不合，可逕自將我撤換，我不會有絲毫怨言，更希望高層能相信我的急診生態熟悉度、專業敏感度、做事的誠實度，這件事並非獅子大開口，而是同仁們實實在在的需求。

院長接到此信的當天下午又再度約見我，他說看完信很感動、很有感覺，並且已將同仁們的訴求向執行長報告，希望能再共同研商出最好的辦法。

後來總算和同仁們達成了協議：一、比原來答應的條件再增加每週一個留觀班人力；二、可以拉大白、夜班時薪的差距，但總額不能變。聽到這消息我內心喜悅不起來，因為有的醫師幾乎都是上白班，如果增加夜班的時薪，必定要降低白班相對數量的時薪，這下子可給部內同仁製造了潛在的衝突點。

所幸主治醫師們都很包容，白天班的主治醫師能體諒夜班的辛苦，無異議通過白班時薪少一百元、夜班時薪多一百元的共識，試行三個月再做檢討。此種「合和互協（合心、和氣、互愛、協力）」的精神，很是令人感動。當然我也是只上白班的醫師，照這樣的算法，比我現在薪資的算法少一至二萬元，財務室主任曾問是否要為我另設一套制度，我當場予以婉拒，因不忍增加醫院的負擔，只要所有醫師都能接受新的方案，只要急診能正常的運作，我都會支持，個人的得失絕不在考慮之內。

一場危機總算化解了，感恩所有的人，讓我們再一齊攜手為慈濟醫院打拚！我相信在新的制度之下，再加上沒有壓力的工作環境和優質的人文薰陶，同仁的幸福指數必可破表，招到足夠的急診專科醫師將是指日可待。我的夢想——將花蓮慈院急診打造成東部地區急診人力資源中心的理念，將不再是遙遠的夢。

花蓮的緊急醫療救護　逐步而前

花蓮緊急醫療救護最大的問題是人力不足，早期只有一人出勤，心想慈濟的志工資源豐富，如將他們施予EMT-1（緊急救護技術員）訓練，再徵求志願者加入鳳凰志工，於消防分小隊值班，既可解決消防隊的問題，又可達到志工們服務人群的心願。

本以為此建議必定是水到渠成、順理成章之事，我滿心歡喜地將此構想向主管報告，沒想到被澆了一盆冷水，理由是為了安全起見，不贊成志工坐救護車執勤。我起初以為這只是高層主管的個人偏見，想要直接向上人報告此事。我想跟上人說做到院前救護不危險，而且是招募志願者，走入社區也算是符合慈濟的精神。後來從許多場合中了解到，慈濟的大家長證嚴上人也認為做鳳凰志工是不安全的事情，上人當然最關心志工菩薩的安全，所以上人的想法我必須尊重，於是我從此絕口不提此事。後來我才了解到，一來EMT-1是比較專業的，二來外界總以為慈濟的人力資源相當多，殊不知志工事務繁多，大部分都還有自己的家庭、工作等要照顧，將休息時間投入慈濟做志工，已經誠屬不易，尤其深耕社區需要更多有心人一起投入，這也就是為什麼慈濟一直在做人間菩薩大招生，畢竟天下事要由天下人共同來成就。

幸好後來消防隊升格為消防局，此時人手也已足夠，就不再出現一人出勤的狀況，可說是時間自動解決了此一問題，我也就放心了，可見凡事也要因緣具足。

可以協助花蓮緊急醫療救護的地方很多，我也曾向消防局建議，例如配合雙軌反應、提供醫務顧問、提供實習和EMT-P（高級救護技術員）複習的場所等等，因為花蓮慈濟醫院是東部唯一的醫學中心，急診病人個案較多，遂成了消防署EMT-P訓練的實習醫院，本院因教學認真，也獲主辦單位及實習學員們一致的好評。

在協助花蓮的緊急醫療救護方面，我雖隨分隨緣但也盡力而為，最希望的就是能提升到院前救護的品質，讓花蓮地區的緊急醫療救護逐漸步上軌道。

急診特性沒有回饋　責任與宿命

回想起在臺北榮總服務期間，有一天我巡視完留觀的病人，走回辦公室的途中，一位老榮民攔住了我，並快速的在我的口袋裡塞進一個東西，我本能地趕快拿出來一看，原來是一個五千元的紅包，我立刻將此紅包還給榮民伯伯，並說：「您到底有什麼事情？我們會盡量幫忙，不需要送東西給我。」原來他希望我能幫忙找床位，他才能盡快住院。伯伯堅持不收回紅包，我只好說：「如果您一定要送，我只好把它交給輔導員，他也會還給您，真的有需要住院，我們一定會盡力幫忙的。」他只好把紅包收回去。

此一事件勾起了我的回憶，猶記得一九八〇年代在臺南空軍醫院服役期間，經常有純樸的病人送東西，尤其是逢年過節的時刻，我幾乎都不必去買應景的禮品。尤其是住臺南鄉下安南區的病人，所送的東西誠意十足，因為安南區的民眾不是漁民就是農民，送的是自己養的雞或鴨，或是自己捕獲的紅蟳或螃蟹，鄉下人純樸的誠意是令人感動的。

話說自轉換跑道於慈濟服務以來，最怕走於慈濟建築大樓內的走道上，因為在建物的內牆上經常可見到民眾投書讚美醫護同仁的張貼，就從來沒有人讚美過急診醫護同仁，想想這樣的落差，心中難免失落，難道急診醫護同仁的所做所為不值得病人感恩嗎？非也！

舉個例子說明：一位心跳停止的病人被送來急診，急診醫護同仁用熟練的ACLS技巧將病人救回來，接下來由心臟內科接手救治這位病人，經過兩星期的調養，病人終於康復出院，家屬高興的心情自是不在話下，能從鬼門關前撿回一命，他衷心地感恩一堆人，於出院那天買了蛋糕送到護理站表達感恩之意，在感恩卡上寫下了他要感恩的對象，有心臟內科主治醫師、住院醫師、實習醫師、護理長、護理師們，連掃地的阿嫂也在名單之內，唯獨急診醫護同仁沒有在名單之內，急診同仁心情之低落可想而知。

誰都知道有了急診醫護同仁事先的救護，病人才能安然的住到心臟內科病房，這也不能怪病人及家屬，他們根本不知道為他急救的同仁的名字。

雖說急診特性沒有回饋，不容易看到對急診醫護人員的感恩卡，可是愈來愈多的感恩急診團隊的訊息，來自「病人家屬讚美平臺」，也讓人頗感欣慰。另一方面，花蓮慈濟急診所收到的投訴事件，平均每個月約有一至二件，與其他醫院相比算是很少的，急診同仁在這麼艱困的環境之下，還能獲得病人的掌聲，實在是件不容易的事情，或許是受了慈濟人文的影響，或許是花蓮地區民眾相對善良，可見慈濟急診的服務還是不錯，感恩我們團隊的努力與辛勞，我要為你們按個「讚」。

不過身為急診人，何妨學學慈濟精神「甘願做、歡喜受」。有關回饋的最高境界，是上人在《靜思語》中的一句話：「真正的布施，除了無欲無求，還要有感恩心。」願與全體急診人共勉之。

難忘的關山急診夜　搶救阿嬤

臺東縣關山鎮是一個純樸的小鎮，以優美的風景及環鎮自行車步道馳名全國，然而卻是一個缺乏醫院的鄉鎮，居民有了病痛或受了傷需要到大型的醫療院所診治，總要到三十分鐘車程的玉里醫院或將近一個鐘頭的臺東馬偕醫院就診，居民或遊客的生命安全令人憂慮。因此，慈濟醫院在二〇〇〇年，承接尚未啟用的關山博愛醫院院舍，並加以改良，設立了關山慈濟醫院，完全不顧慮營運是否會虧損，因為這裡的人口實在太少。

雖然有了美侖美奐的醫院硬體建築，要徵求願意來小鎮服務的醫護人員，也是個難題，所以整合花蓮慈院各專科醫師、護理、醫技、行政及志工等人力資源前來支援，就近服務當地民眾。

我身為花蓮總院急診部主管，自始即以肩負東部地區緊急醫療救護為己任，於是以身作則帶領急診醫療團隊，來關山慈濟醫院協助急診。

一個週末的夜晚，我和黃醫師一起值班，當天晚上的病患比往常稍多，正在聚精會神寫病歷時，聽到門口響起急促的汽車引擎聲，原來是救護車送來一位年約八十多歲的老阿嬤，已經不省人事。

「阿嬤！阿嬤！你還好嗎？」我本能叫了病患幾聲，雖然她沒有反應，可是我注意到她的胸口微微起伏，生命跡象仍在，但也相當危險。

「O_2、IV、monitor（給氧、打上點滴、接上監視器）！」護理人員馬上進行處理，監視器顯示出很快的、寬的QRS心律，判斷是「心室性心搏過速（VT）」症。因為病患意識已經不清楚，屬於不穩定的狀態，須要快速讓心律恢復正常。

「準備心臟整流！」我大聲喊著：「一百焦耳、離開、放電。」

監視器馬上顯示出正常的心律，大家都在為這神來的一擊而歡呼，我再試圖呼叫阿嬤的名字，她顯然已經有了反應，這時我們才相信病患暫時沒有危險了。緊接著就是問病史、做身體檢查、抽血、驗全血球計數、生化、心肌酶，及照胸部X光和十二導程心電圖，大約半個鐘頭過後，所有的檢查已有了結果，而且顯示都是正常的。

一時之間我無法解釋到底是何原因造成阿嬤的「心室性心搏過速」，雖然心裡強烈懷疑是急性心肌梗塞，但是因為證據不足，只能一邊觀察一面密切追蹤心電圖和心肌酶濃度。

正當我與黃醫師討論病情之際，突然聽到護士小姐大叫一聲：「不好了，病患意識又不清楚了。」我趕緊衝到病床邊觀看心律監視器，「糟糕！又是VT！」我馬上拿起電擊器再為她電擊一次，雖然成功地把病患救回來，心裡仍然不安，我跟黃醫師商量：「這樣反反覆覆發作VT，應該住進加護病房，可能還要做心導管，因此我們必須把病患轉到花蓮慈濟醫院。」

黃醫師也同意，我們遂把想法跟病患家屬說明，家屬當然也同意了。可是這種病情下轉診非常危險，又沒有加護型救護車，如果只是護士隨車，我們是千萬個不放心，我與黃醫師絞盡腦汁思考該如何解決這個難題。

這時已是晚上十點多了，而我們必須值班到隔天早上八點鐘，在思索中，確立了一個原則，就是一定要有對高級心臟救命術專精的人跟車，病患的安全才有保障。而在那個時候最有能力護送的，就只有我與黃醫師兩人，可是我倆按規定要值班到隔天才能下班，在左右為難之際，想到了一個兩全其美的辦法。

我跟黃醫師說：「今晚委屈你不能睡覺了，你就在這裡一直照顧阿嬤，看心律的變化隨時治療，到明天一早，你親自跟隨救護車送病患到花蓮慈濟醫院，當然還要有一位護士跟隨，記得一定要帶急救藥品、心律監視器及電擊器，你走後，這裡的班我一個人先撐著。」

黃醫師二話不說也同意這個方法，我拖著蹣跚的步伐先回值班室休息，心中暗祝接下來的漫漫長夜，黃醫師和這位阿嬤都能有好運氣。

第二天一早，我搭八點四十分的自強號回花蓮，一到醫院馬上打電話給黃醫師，問明大夜及護送途中的情況，黃醫師心有餘悸地說：「昨天晚上你走後，我又電擊兩次，在回花蓮途中也電擊了一次，還好到達醫院時，病患的生命徵象還正常。」

這時，我心中的那塊石頭終於落下來，也要很感激地說：「黃醫師，辛苦了。」

類似這樣的情景，時不時地發生著，可不是嗎？身為「急診人」，隨時守護民眾的健康，既是責任也是宿命，尤其救回一條命，並非個人的力量，是整個醫療團隊努力的成果，回想起在急診二十多年來的點點滴滴，我真的要非常感謝所有醫護人員的付出。

第五章　揭開慈濟神祕的面紗

我所知道的證嚴上人　創造善循環

證嚴上人是舉國知名的人物，在全世界更是享有名聲。眾所周知，上人是一位「慈善家」、「宗教家」，莊嚴的形貌讓人以為上人是位嚴肅的長者。可是根據我的觀察，上人非常地平易近人，而且說話幽默風趣，言談之間非常富有哲理，其學問之寬、廣，比「博士」還「博士」。雖然上人除了全臺行腳要外出，大部分時間都在精舍，可是上人卻最能掌握時代的脈動，對於發生在全世界的最新時事，總是能掌握先機在第一時間就知道，從志工早會上人的開示中可以很深刻地印證這一點。

慈濟基金會把上人所說過的經典話語編輯成《靜思語》，其中最令我動容的語句是：「普天之下，沒有我不能原諒的人。」這是多麼偉大的胸襟啊！當然也包括原諒了我，我常常講話不夠得體，得罪了很多人，又很少參加慈濟的活動，可是上人從未責備過我，反而一直在感恩、稱讚我，令我深感慚愧，深知上人「度」我之苦心，可是我是一個沒有「慧根」的人，但我會盡力而為。上人又說過：「世上有兩件事不能等，一是行孝、一是行善。」誠哉斯言，這是當今社會多麼需要的勵志警語啊！其他諸如此類的小故事、大道理的語句多得不勝枚舉。

上人是我所見到把「口說好話」發揮得最淋漓盡致的人，有時還充滿了幽默，是有智慧的人才做得到的。在一次志工早會的分享中，我向上人報告發生在最近一次的「病人家屬對急診醫護同仁的口頭暴力事件」，講完後我開始感到後悔，因為一大早就講「暴力」等負面的事情實在影響眾人心情，可是上人在講評的時候，未提隻字責難的話，只是一再地感慨與勉勵。接著我分享的是友院的一位醫師，這位醫師報告了非常溫馨的醫病故事，上人講評的時候，第一句話就說：「總是要平衡一下。」全堂哄然大笑，大家都瞭解這話的真正涵意，我的感受則是格外地深刻。

上人的口才一流，隨時可以講出一個動人的故事，即便是很普通的事情，卻能衍出大道理，可說是全世界最優秀的「演說家」之一。有一天在志工早會剛開始，上人問候大家：「昨天晚上睡得好不好？」眾人回答很好，我本以為這只是尋常的問候語，沒想到上人繼續說：「凌晨在花蓮發生了三點五級的地震，大家在沒有感覺之中地震就過去了，你們真的很幸福，是不是該感恩啊！」接著又引伸到大多數人們的「身在福中不知福」，從而勸勉我們要「時時感恩」，這樣的鋪陳淺顯易懂又具有說服力，真的很令人佩服。

在志工早會上聆聽開示，我發現上人最常講的話語是感恩、感恩、還是感恩，上人無時無刻不在感恩，對象遍及每一個人。上人對資訊的掌握很廣泛，在眾多時事當中，最關心的話題永遠是發生在國內和世界各地的「災難」、「貧病」、「弱勢族群」和「環保」，不只關心而已，當慈濟人開始行動，上人還會追蹤進度、感恩每一個人。上人曾說：「驚世的災難，要有警世的覺悟。」又說：「我們要見苦知福，惜福、再造福。」都令我留下深刻的印象。

上人對醫師非常尊重與推崇，稱醫師為「大醫王」，對沒有參與慈濟活動的醫師，從來沒有責備之心，反而在諸多場合裡告訴眾弟子：「大醫王平時相當忙碌，請體諒他們沒有參加慈濟的活動，他們只要把醫療的事情做好就可，我們都要存感恩之心。」聽後非常感動，上人將慈濟四神湯「知足、感恩、善解、包容」做了最好的詮釋，對於偶爾參加活動的醫師還會鼓勵有加。

猶記二〇一二年的歲末祝福時，我參與了「法船」和「至誠發願」的手語表演，上人看到了我，在爾後的幾次開示都提到我的名字，且語多讚賞之意，顯得高興和驚訝，同仁好心地來告訴我，反而讓我覺得慚愧，其實我是因為表現不好才會被點名的吧！因為很少參加慈濟活動，偶爾參加就被上人鼓勵，顯見上人「度」我之心是多麼的殷切，讓我會想要更積極參加慈濟的活動。像這樣良性的循環就是上人常說的「善的循環」，可見上人是非常慈悲又具有智慧的長者。感恩上人的關愛，我真的從上人身上學到了很多，上人改變了我，慈濟影響了我，但願我也能影響更多其他的人，創造「善的循環」。

至今我對上人還有一好奇之處不甚了解，在她二十多歲還是少女的時代，那時也還沒有中橫、南橫、或南迴公路，南迴或北迴鐵路也還沒有開通，她是如何隻身從臺中清水老家翻山越嶺來到臺東初鹿落腳，單是這一工程就足以讓人驚歎！

慈濟的人文　值得效法的標竿醫院

慈濟醫院的確是個充滿人文的地方，是醫療倫理有待提升、醫病關係日漸惡化的今日，我醫界人士當學習的標竿醫院。

走在慈濟的院區內，經常會遇到穿梭不停的志工，以及親切問好的笑容。初到慈濟醫院遇此情景，還以為自己是VIP，所以才有此待遇，後來才知道志工們對每個人都是同樣親切。聽志工們說話千萬不要被迷惑，因為有的是真的、有的是假的，可以肯定的是，他們說的都是好話。「說好話」是慈濟的文化，但是好話不一定是真話，可是慈濟的另一個信念「誠正信實」，又是叫我們要誠實，當好話和誠實相衝突的時候，就要用智慧來解決，亦即換另外一種角度來講，既是事實又聽起來好聽，這是不容易的事情，需要有智慧的人才做得到，有關此點，能將此精神發揮得淋漓盡致的人就是上人。

我到現在還做不到，個性決定了我的命運，加上又沒有「智慧」，所以我一直在當「主任」。不過我不後悔，如果將我委以「重」任，也許正是我痛苦的開始。

《靜思語》是慈濟的一大特色，是上人歷年來開示的精華語句，非常富有哲理和意涵，很多人拿來當做座右銘，在我家客廳的牆壁上也張貼了靜思語，希望能改變我及家人的氣質。《靜思語》愈來愈受到大家的喜愛，在臺北和花蓮的某些街道，整條街的商家牆壁或櫥窗上貼的都是《靜思語》的句子，有警世、勵志和修行的作用，路人走過無不多看兩眼，頗有大丈夫亦若是的認同感。此《靜思語》等於是《慈濟人文基本教材》，其重要性類似高中所讀的《中國文化基本教材》——《論語》和《孟子》，可以淨化人心、使社會祥和。希望有一天它會變成一個國民運動，家家戶戶力行《靜思語》。

到目前為止我所見到最猛的《靜思語》愛好者，是中國大陸江蘇省常熟市的一位志工，她是一家大型百貨公司的董事長，賣場內到處都有靜思語，舉凡走道的上空、專櫃玻璃上等等都有，要客人不注意到也難，我相信這對社區民眾潛移默化的作用功不可沒。

「手語表演」是慈濟的另一特色，在慈濟主辦的大小活動，都可以看到手語表演，當然並非慈濟人都專精於此，其目的為帶動氣氛，也能傳達美善精神。在每年例行性重大慶典上，手語不只是表演，更是闡述慈濟人文的重要指標，若是邀請醫師參加，會由眾多種子教官分別教導，因為醫師是最不容易騰出空檔來練習的一群人，每次練習總是只有小貓幾隻，種子教練們還是和顏悅色的耐心教導，最後一天由總教練慈悅師姊驗收，要練到她滿意為止，可不是一件容易的事情。

慈悅師姊雖然嚴厲、不留情面，但是大家對她心服口服，為的就是一個信念——不能砸了慈濟的招牌。經由慈悅師姊的點撥，猶如練武之人被打通了任督二脈，武功突飛猛進自是不在話下，很快就可以達到慈悅師姊口中「超級一百分」的境界。第二天正式表演時，往往又比總彩排的時候更到位，許是精神、意志力更為專注之故，總令上人及觀眾感動不已，這就是慈濟精神。

還有一部分人專精於手語藝術，定期集會練習、甚而研究開發新曲目，也就是「手語隊」，每當有重大慶典或活動，手語表演的幕後功臣就是他們，有時候手語隊也會親自上場表演，看她們的表演真的是賞心悅目，集氣氛祥和、姿態優美、律動一致、整齊劃一於一身，會令人有「很舒服」、「很感動」的感覺。其藝術價值不斐，我認為登國家藝術的殿堂亦不為過。

慈濟的另一個人文就是「志工早會」，在醫院稱為「晨間人文講座」。「志工早會」是一常態性的活動，每天早上七時開始，各志業體都有人參加。首先是上人開示，就時事、尤其是發生在國內外的災難加以分析、抒發感想，勉勵大家要發揮愛心、節約能源、力行環保，以促進社會祥和及拯救地球。其心胸之仁慈寬大、眼界之深遠，真的是做到了「立足臺灣、心懷全世界」，接著是各慈院、學校、人文志業中心的代表輪流心得分享，主管們輪到的機會比較多些。

每次在輪到我心得分享的時候都非常地惶恐，不知道要說什麼才好，漸漸的我領悟到要領，舉凡動人的故事、社會的脈動、時尚的新聞、甚至連業務報告都可以講，講的時候要一再地感恩很多人，這就是一篇很好的心得分享，講完後上人會做補充說明，多半是說些勉勵及感恩分享者之類的話。

這是一個修心養性的地方，聽完上人的開示，可以使人的心靈沉澱，長期的耳濡目染自然就會養成慈悲心懷與平和的個性，處理病人也會比較溫柔。所以我總希望急診的同仁都能參加志工早會，更希望眾人在充滿慈濟人文的環境之下，又經過晨間人文講座的洗禮，能培養出具有人文氣息且慈悲的急診醫師。

說慈濟醫院是最具人文氣息的醫院，可用另一事例來證明。急診病人中不乏身罹多項疾病又難以治癒的患者，每當他們感染急性病症，需要住院，依以往的例子，總沒有任何科的醫師會收，通常都會說是別科的問題，因此這類病人往往是擺在急診聽其自然，好不殘忍，自從有了急診醫學科以後，雖急診醫師有權收病人，卻也是最棘手的難題，轉給任何一科都會有人不滿意，甚至打電話責難急診醫師，在慈濟醫院，我們總是把這類病人轉給一般醫學科，而該科醫師不但細心診治，也不會責罵任何人，我們戲稱該科是世界上最偉大的科，我深信這都是受了慈濟人文氣息的影響所致。

被誤解的慈濟　我的親身觀察

慈濟在社會上的形象一向是兩極化，大多數的人持肯定、推崇的態度，少部分的人則持負面態度，甚至詆毀。我在慈濟醫院工作十多年，面對慈濟人文，並親眼目睹他們的所作所為，我深深覺得慈濟真的有很多被誤解的地方，我非體系內的核心人士，參與的事務少之又少，與慈濟的淵源並不深，由我來現身說法、訴說慈濟的事情應是公信可靠。

還記得來花蓮後，有一次回老家臺南探望母親，她問我為什麼要去慈濟工作？我說慈濟很好啊！大家都口說好話，很有人文的氣息，我不清楚她為什麼對慈濟的印象不好，是不是因為宗教的關係？母親是虔誠的基督徒，很忌諱燒香拜佛的事情，可能是怕聞那樣的味道，我告訴她慈濟跟一般的佛教是不一樣的。很遺憾的是母親可能還是無法理解，我雖一片孝心地準備了好房子，請她來這裡養老，但在花蓮十多年間，母親只在房子落成時來住了兩天，此後沒再來住過，讓我心裡頗為難過。

誤解一：在慈濟是不是每個月要扣薪水或者要捐款？我以自身實際的經歷告訴他們，這是謠言，我從沒被扣過薪水或者強迫捐款。從這件事可推測，不知外面還有多少人有這樣的誤解。

誤解二：是不是在慈濟一定要吃素？雖說慈濟醫院只提供素食，如果病人從家裡帶來葷食，也沒有人會阻止，如果員工想吃葷食，院外也有許多餐館。慈濟醫院的確是在提倡素食，因為素食對健康有好處，這是有實證醫學背書的，但是絕對沒有強迫員工一定要吃素，只是非常鼓勵員工一起茹素。

誤解三：慈濟的女眾委員穿一身藍色旗袍，再捲上一個包包頭，法相甚是莊嚴美麗，有人謠傳要花一百萬元才能買到那一身旗袍。事實上，想要成為慈濟委員，只要加入志工，完成委員培訓，受證後就能穿上那件旗袍，需要花的不是錢，而是一點點時間和那分心，沒有參與志工，沒有加入培訓，就算有一百萬元，也無法成為委員。

慈誠與委員　職志合一

來到慈濟將滿九年時，我才想到要培訓成為慈誠隊員，不免有些慚愧。來這麼久，每天接觸的是慈濟人的身教，所聽的都是感人的心靈小故事、大道理，卻直到第九年才要加入，有關這種心靈的轉折我也說不清楚，也許正如佛家常說的「隨緣」，與慈濟的緣已然到來。但願以後要以身作則，實行慈濟的三好運動——說好話、做好事、想好念。這九字箴言對我的急診生涯而言，將會發揮無比的動力，尤其是在醫病關係緊繃的今日，希望急診團隊都能發揮這樣的精神，讓醫病關係一片祥和，急診服務品質提升。

一般的民眾要想成為慈濟的慈誠或委員，須經過兩年培訓課程，但醫護同仁的培訓課程只有十二次上課，上人暱稱「特教班」。

利用每月最後一週的週日舉行，一年就可以完訓，男眾完訓就是慈誠隊員，女眾完訓成為委員，慈誠或委員並非一個空洞的名聲而已，有責任和義務，例如：要參加社區活動、做志工、參與助念、做導覽、交會費等等，委員還有募款及加入功能小組的工作。但上人慈悲心腸，體諒醫護人員的工時長，身肩臨床、教學、行政、研究種種工作，不會要求眾人要和其他慈誠委員一樣，上人最盼望的就是我們能做到職志合一，把慈濟慈悲濟世的精神用在醫療業務之上，用真心與悲心對待病人。

而我真的一次都沒有參加過屬於慈誠的活動，內心總有一種慚愧的感覺。

以戒為制度，以愛為管理　慈悲為懷

很多人都會好奇地請教上人：「世界上任何地方有災難，慈濟人總會很迅速地出現在災難現場，這麼有效率、且井然有序，到底是怎麼管理的呢？」看來大家都肯定且好奇慈濟的管理制度，想來這裡取經，沒想到上人只是輕描淡寫地回答：「我是以戒為制度，以愛為管理。」慈濟醫院各單位的管理哲學亦是。就佛家的立場，此一原則是正確的，很符合佛家「慈悲為懷」的理念，慈濟醫院承襲了上人的中心思想，自然是順理成章之事，然而就經營一個企業或醫院而言，如何運用此信念，就是「見仁見智」的課題。

這種管理哲學，能讓員工比較沒有壓力，安心完成工作，不至於變成「血汗醫院」，但若無法掌握恩威並施的原則，很可能導致內部管理過於鬆散。事實上，我認為以「愛」為管理並沒有錯，連軍隊都在提倡「愛的教育、鐵的紀律」，只是我們莫錯用了「愛」的真義，「愛」並非溺愛，「愛」並非不要紀律。所謂「紀律」就是賞罰分明，有功必賞、有過必罰，能如此，則政策必能貫徹執行，團隊必能發揮至高的力量達成使命。

有一天臺十一線四十三公里處的磯崎路段發生遊覽車翻覆事件，急診室一下子湧進八位病人，其中五位屬於重大創傷個案，需要縫合和其他處置。當班主治醫師和護理小組長當機立斷，分別打電話給急診未上班的醫師和護士，結果不一會就有三位急診醫師和五位護士前來支援。因此在急診並未啟動大量傷患應變流程，就已將大量傷患事件圓滿的處理結束。

我對這些自動來支援的同仁心存感激，其實他們若不來支援，不會有任何法律上的責任，也不會被責備，他們能自動自發前來支援，完全是出於一片從醫的熱誠，不求回報，這種血液中流著「急診人」的血，體內蘊藏著「急診人」的基因，總會不假思索的飛奔到災難發生的地方奉獻己力。因為他們的自發性行為，使得全院病房的醫護同仁過了一個平安夜。

這可以說是「以戒為制度，以愛為管理」之下的良善循環，同仁懂得自己的使命就是搶救生命，及時地加入救援行列，不只能幫助患者，更能減輕其他醫護人員的壓力，像這樣自動自發的同仁，更需要被鼓勵被獎勵，足堪成為榜樣，更值得全體同仁的尊敬與效法。

慈濟與災難救援　有心所以迅速

每當災難發生，電視畫面上都可見到慈濟人的身影，這是大家熟悉的景象。很多人都曾問過我，你們慈濟是怎麼做到的？為什麼反應這麼迅速？思考了一會，我回答說：「慈濟有綿密的組織，而且深入社區，任何一個慈濟人發現哪裡有災難，就會立刻打電話給該社區的每一個師兄姊，大家就會立刻自動自發的到災區從事膚慰的工作。」「因為有心，所以迅速」，我是這麼認為。

事實上，「慈濟」和「災難」是密不可分的。只要有災難發生，基金會就會評估是否要出團救援，若是沒有安全顧慮，就會組織災難救援團隊。要到災區去救援，不是說想去就可以去，慈濟有它獨特及優勢的地方，因為它是一個民間團體，平時就在全世界各國累積了很好的聲譽。如果非邦交國發生災難，慈濟救援團就比政府的官方救援團體更容易進入災區。

慈濟救援團的任務主要有二個，包括：提供物資發放和災區義診，出團時機大多是急性期已過。這種救援性質跟災難醫學領域裡所稱的災難醫療救援隊（Disaster medical assistance team, DMAT）是不一樣的，DMAT的出團時機多半還是在急性期，出團醫師的專業背景最好是急診醫師較佳，所帶的醫療物品多屬創傷和非創傷病情的急性用藥和器材，慈濟的出團醫師多半是具有醫療次專科的背景，而且多半是帶些慢性病用藥。雖然二者性質不同，但是如能將一些DMAT所具有的特徵，運用在慈濟的救援工作上，將是更有利於災難救援的事情。

在我向慈濟醫療志業林俊龍執行長報告我的想法，並且到精舍向上人報告獲得同意後，我做了以下事情：制定慈濟出團的標準作業流程、採購創傷、非創傷和呼吸急救背包、建議第一梯出勤最好有急診醫師、第一梯出勤任務要包括災情評估、建議採購野戰醫院。

自到慈濟以來，全世界各地發生的災難不計其數，慈濟有出團做災難救援的次數，數也數不清，可是我竟然連一次都沒參加過，說來頗感慚愧。其實我是很希望能參加的，災難救援是我的專業，當然想要學以致用，可是一方面是因為急診人手從來就沒有足夠，我如果出國一個星期，其他的主治醫師就要多上班，我不忍給其他主治醫師造成壓力。再方面是因為我們都要自費自假去，慈濟的急診薪給制度與其他部科不同，故而一再錯失良機，殊為可惜。

總而言之，以後或許還有機會參加，只要我「隨緣」的心態再多加上一些些「把握因緣」，應該就可以實現願望了。

參與活動如修心　法入心髓提升工作

細數我曾參加過的慈濟活動，藉由親身經歷，更能了解慈濟精神是如何的落實在各處。

「國際慈濟人醫會」

慈濟志工遍布世界各地，以醫師、護理、醫技、藥師為背景的慈濟人，組織成一個團體，稱為「國際慈濟人醫會」（Tzu Chi International Medical Association, TIMA）。他們經常到國內外的偏遠地區和災難地區舉辦義診，我也曾經和他們一起到蘇州義診過，領教過中醫師和牙醫師的功力，尤其是牙醫師們自行研發的「攜帶式牙科治療椅組套」令我印象深刻，只要帶上這套器械，在任何地方都可以執行拔牙、洗牙、甚至根管治療的手術，是最令民眾滿意的診療科別之一，我也給予他們高度的評價。

不過，我覺得最欠缺的就是「急診醫師」和「急救衛教科」，在義診這樣的場合給民眾急救教育，教他們心肺復甦術也是個不錯的構想。此外，義診團裡有急診醫師的另一好處是，團員若發生任何突發疾病，急診醫師可給予緊急救治，並且可以做到高級心臟救命術的層次。

每年中秋節前後「國際慈濟人醫會」在花蓮靜思堂召開全球年會，來自全世界各國的人醫會會員參加，藉以凝聚向心力，同時了解世界上正發生的各種狀況，涵蓋了環保、地球暖化、及災難救援等多面向的議題。

蘇州義診

二〇一〇年十二月，慈濟基金會預定在中國大陸蘇州長橋醫院舉辦義診，我不想錯過這次殊勝的因緣，遂於第一時間就上網報名。

參與義診要自付交通費及食宿費，而且是要團進團出，雖然這時段剛好跟我已答應的ACLS課程撞期，除了要失信於人外，還要犧牲為數頗豐的鐘點費，然而為了參加義診，也希望對大陸醫院有深層的認識，並進一步瞭解慈濟文化，遂毅然決然地歡喜報名並獲錄取。

行前小叮嚀告訴我們不要隨便照相、不要談政治，到了松山機場大廳集合，發現團員陣容頗為強大，總共有六十人，還包括好多人醫會的中醫師和牙醫師們。領取了厚重的夾克大衣，頓時覺得身體發熱，從松山到上海虹橋機場飛不到兩小時就到了，下了飛機才覺得天氣寒冷，只有攝氏五度，還好有夾克裹身，寒意頓減。

在乘車到長橋醫院的途中，石前院長一路陪伴著眾人，扮演嚮導的角色，解說蘇州的風土民情典故，增長了我們不少見識，像「蘇州賣鴨蛋」、「月落烏啼霜滿天、江楓漁火對愁眠」等典故和詩句都有另類的解釋，真是博學多聞，有助於解除我們一路上旅途的疲憊，感恩石前院長的用心良苦，他和領隊許文林副院長的風趣對話，足以顯出他們是多麼幽默機智的人啊！

領隊為大家做了任務分配，因為我的專長是急診醫學，所以分到「衛教」組，這在國內外義診史上應該還是頭一遭。我開始思索著要如何圓滿達成任務，不一會心中就有了答案。

長橋醫院的規模並不算大，相當於我們的地區教學醫院，全院上下對義診充滿了期待，展現了高度的效率和十足的誠意，提供了非常好的場地以便發揮所長。我向他們借了一具CPR安妮擺在衛教組教室前面，教室四周則貼滿了我們帶來的衛教海報，我用很淺顯的語言向民眾講解影響人類健康的危險因子，然後示範CPR的技巧，大夥都感覺很新鮮，並說以前從來不知道CPR這個名詞，在充滿了歡笑又熱鬧的氛圍中，送走了一波又一波的人潮。

為因應他們醫護同仁的要求，於第二日中午休息時間，我們進行了一場小型的ACLS教學，受限於場地及設備，我只做了精華說明，及最新版CPR和BVM的示範操作，末了大夥都期待我能於不久的將來，給他們辦一場全套的ACLS訓練課程，我更期待這樣的盛情邀約能美夢成真。

這次義診最受歡迎的兩個科別是中醫科和牙科，也是慈濟義診團的特殊之處，尤其是慈濟人醫會牙醫師們所研發的攜帶型牙科診療椅，更是讓我印象深刻，它可以做洗牙、拔牙和根管治療等術式，難怪牙科診間的排隊民眾總是長長的，要離去的時候，也總是他們最後趕上車。

最後一天上午石前院長很好心地為我們安排了一趟蘇州半日遊，行程包括遊河、參觀「胥門」和慈濟在蘇州的健康檢查中心。「健康檢查中心」是慈濟跨足大陸醫療事業的第一步，其建築宏偉，當時雖尚未完工，已可感受到它輝煌的氣勢。「胥門」其實是一個古城牆的城門口，為了紀念春秋戰國時代吳國大將軍伍子胥，在此處力諫吳王夫差不可征伐列國，因吳王不聽勸諫而自刎身亡的場所。這是我不久前才看完的連續劇的劇情，我將此故事說給大家聽，每位團員都聽得津津有味。至於蘇州的另一名勝古蹟「寒山寺」，則因時間不夠沒能成行，甚覺遺憾！蘇州的林園全世界有名，只有在遊河的時候驚鴻一瞥，未能登岸參觀，實在可惜！猶如登寶山而空手回，令人無限惋惜。

這次義診收獲良多，瞭解更多的慈濟文化，一圓求學時代嚮往的蘇州古城夢，若說還有什麼遺憾之處，就是沒有帶照相機，無法將美景留做永恆的記憶帶回。我不是忘了帶相機，而是太遵守「行前小叮嚀」的注意事項，是主辦單位叫我們不可隨便拍照，我把它解讀成不能帶相機，誰知每到一處團員們紛紛拿起數位相機拍照，也不見有人出面禁止，才驚覺這也是慈濟文化之一。所以只好厚著臉皮請同仁們幫我照相留念，同時還提醒他們要e-mail給我。我猜想我可能是團員中擁有蘇州義診相片最少的一位吧！

這次義診收獲良多，瞭解更多的慈濟文化，也一圓求學時代嚮往的蘇州古城夢。另有兩件小事亦可顯現慈濟人文，值得一書。在義診第一天的空檔期，有一位慈濟大愛臺的記者採訪我：「這裡的醫師看病跟我們的醫師有什麼不同？」我毫不猶豫地侃侃談道：「根據這裡病人的描述，這裡的醫師看病不夠親切，不會講很多關懷與衛教的話，而我們的醫師會，所以病人比較喜歡我們的看病模式，可能是受了慈濟人文的影響所致吧！」

記者走後我立刻後悔了，這樣的訪問如果在當地電視臺播出，豈不是要傷了很多人的心，更會給慈濟帶來困擾，我特別注意當天的晚間新聞及隔日的報紙報導，還好都沒有見到這一則新聞，我猜想是聰明的記者把我這段不當的說詞刪掉了。大愛臺記者果然有慈濟精神，謹記「口說好話」的信念，有他們幫忙過濾，令人放心多了。

義診結束的當晚，在「靜思書院」舉行的心得分享晚會時，有一段記者與常熟市的師姊的脫口秀，讓我感受到《靜思語》的影響力。這位當地師姊在常熟市開了一家規模不小的百貨公司，自任董事長，是一位女強人，凡事親力親為，更是《靜思語》忠實愛好者，她將公司內專櫃臺上和走道上空的天花板，都擺放著或懸吊著寫上靜思語句的紙條或旗幟，讓人一進百貨公司就被《靜思語》的旗海包圍，想不認識其中的語句都很難，在這樣的環境之下耳濡目染，對於提升淨化人心自有一定的功效，我非常贊同且欽佩這位師姊的做法，應該頒給她一座「最佳靜思語創新暨推廣」的獎座。

因行程節目充實，蘇州義診之旅很快就結束了，要感恩很多人幕前幕後的辛勞，才能成就這一趟知性和學習之旅。特別是上海、蘇州和華東的志工們，因有您們的幫忙，讓我們在「食、衣、住、行」方面都如同在家一樣，衷心的無限感恩！

合心共識營

花蓮慈濟醫院於二〇一二年二月十一、十二日於靜思精舍舉行年度的「合心共識營」，共有三十八位新進的住院醫師和主治醫師參加，院長是我們的學員長，我和其他四位資深醫師和副院長共同擔任「隊輔」的任務，其目的是讓新進人員了解慈濟的人文和緣起，邀請本院的典範醫師述說他們行醫的歷程。包括：陳英和醫師、鄭立福醫師、郭漢崇醫師，分享者還包括：林碧玉副總、林俊龍執行長、高瑞和院長、李毅主任，還有隊輔和各自輔導的隊員交心和傳承的時間，最後是「心得分享」，慈濟的語言叫做「圓緣」。

主辦單位人資室要我做最後一棒的分享者，我的分享如下：

上人、副總、執行長、學員長、各位隊輔、各位學員，下午好！

時間過得真快，又到了要跟各位說再見的時刻，從各位的臉龐上看得出離情依依、依依不捨的表情，兩天的「合心共識營」對我來說是一次「感恩和學習之旅」。感恩院方給我這個機會參加、感恩精舍師父殷勤的招待、感恩各位學員用心的上課、感恩主辦單位給我排這分享的最後一棒。雖然這已是我第三次參加共識營，課程題目也是舊的，可是所講內容卻是新的，所以我也學了很多，並非只是「陪公子、公主讀書」而已。

讓我把兩天課程做摘要式的回顧。大家都知道福哥（鄭立福醫師）對病人很好，也是教學優良醫師，我卻不知他還很具幽默感，他以詼諧風趣的語句述說了一個動人的故事，也看得出他的真誠與赤子之心；陳英和名譽院長也是以對待病人親切和善著稱，他說他在門診看第一位病人的時候，可以傾聽病人的聲音，在看第一百位病人的時候也可以傾聽病人的聲音，這正是我們要學習的，我回去後一定要跟我們的急診同仁說：「再忙、再多病人，也要傾聽病人的聲音，也要給病人做詳細的衛教。」

楊醫師自曝學業不順、老大年紀又去學醫，像這樣在逆境中力爭上游的勇氣是值得我們敬佩的，更是年輕學子們的榜樣；高院長演講所說的一些哲理，正是我內心裡所要講的話，這是經過人生閱歷後所得的精華心得；劉醫師我跟他不熟，但他的演講讓人聽起來有如在閱讀一篇文詞優美的散文，想必劉醫師對文學寫作頗有喜好；郭漢崇教授則是服務、教學、研究俱優的典範醫師，這是非常難得的人才，在醫界可說是稀有動物。舉一個例子證明，在急診如果有病人想住院，且指名要給郭醫師主治，只要打個電話給郭醫師，他總是說直接把病人簽上來就好。總的來說，這些醫師都是視病猶親、以病人為中心的最佳典範醫師。

今天看到許多年輕的醫師，心中甚為高興，因為我看到了希望。兩天的課程讓各位見到典範醫師們的風範，想必大家也抓住了他們之所以為典範的精髓，以及想要學習的地方。各位要以身作則，以身教感染周圍的人，使慈濟醫院成為全臺醫療人文典範的醫院，現在是感性的時刻，卻不是可以讓人衝動的時候，回到醫院的崗位後，開始行動吧！

歲末祝福

慈濟每年的春節前一個月開始，上人就要帶領眾弟子巡迴到全臺灣各地區主持「歲末祝福」，最後一站就回到了花蓮，時序大約是春節前一週左右。很多慈濟人都很喜歡參加這個活動，它也開放給一般民眾參加，因為上人會在活動的最後發放「福慧紅包」。這是一個包裝很精美的硬幣，具有典藏的價值，更有上人祝福各位信眾的意味，是所有發心的慈濟人在約二個月前就齊聚精舍，配合精舍師父的指導所包成的。

二〇一二年的「歲末祝福」，慈濟醫院徵求志願者參加手語表演，顧慮到上班之故無暇練習，怕破壞團隊的美感，我並沒有在第一時間報名，院方主動打電話邀我參加，從此每天下班後約五點半就要和眾師兄姊一起練習。我分配到擔任「妙音」的角色，要表演兩首歌曲，分別是「果報障——至誠發願」和「悟達國師」。有時候我要到臺北開會而不能參加練習，就在火車上猛背歌詞，來回一趟的時光已把兩首歌背熟了，之後的練習就覺得輕鬆多了，因為歌詞的意境可以幫忙聯想到手語的動作。

正式表演的前一個星期日，由魔鬼教練——慈悅師姊來驗收，我們一夥人——包括執行長、院長、副院長、各科主任和種子教練們被罵到臭頭，她說：「這樣的水準還敢來驗收？你們平時是怎麼練習的？」當晚我們一直被訓練到十點鐘，大家拖著疲憊的身軀回家，沒有一個人對慈悅師姊有怨言。

雖然早就聽說，但這還是第一次領教到慈悅師姊的教學功力及魅力，她總是能很清楚的看出學員的錯誤地方，而且是以完美無缺的心態指導，我相信她是一個追求完美的人，這一點和我在ACLS教學時候的方式是一樣的。雖然她在指正的時候從不假辭色，但是說得很有道理而且語帶幽默，每個人都對她心服口服。

「歲末祝福」的內容很豐富，首先用VCR回顧一年來的慈濟大事，接著是用手語演繹一個故事，二〇一二年的故事是述說《水懺》這部經典的緣起，由醫院同仁和志工共同演繹〈一性圓明自然〉的序曲，接著是由歌仔戲演員許亞芬小姐率領一群職業演員表演悟達國師的故事，配合這齣手語音樂劇的結束，由慈濟大學的老師和醫院的醫師們共同唱誦經文。我們無不卯足全力、聚精會神的表演和大聲唱誦，果然獲得在臺下觀賞的上人、副總、慈悅師姊和全體觀眾如雷的掌聲。慈悅師姊說我們演繹得很好，應該不是客套話，我們真的非常用心和努力。

緊接著是上人開示，他勉勵大家要「認清方向」，上人的方向是「為佛教、為眾生」，因而開創了慈濟世界，並且以「四大志業、八大腳步」在履行「方向」。上人勉勵我們要像小螞蟻一樣上須彌山，今年的目標更是要轉動須彌山，化為行動方案就是「吃飯八分飽、二分助人好」，同時要勸人「茹素」。此外「粒米成籮、滴水成河、聚沙成塔」的概念，可以衍生為「勿吃太飽、節水、節電」的行為，將節省下來的錢丟到「米撲滿、水撲滿、和電撲滿」，如此則可以救助更多的窮人，力行環保、節約能源，並且拯救大地。

這是一個很好、很完整的論述，從頭到尾一氣呵成，令我印象深刻。參加「歲末祝福」真的是令人收穫滿滿。

「水懺」入經藏演繹

緊接著歲末祝福的是春節假期，假期甫結束，就接到院方徵求參加「水懺入經藏演繹」的消息，尤其歡迎「大醫王」參加。聽說這是從二〇一一年夏季開始藉由演繹為社會祈福的法會，首度在花蓮靜思堂演繹過後，接著於各縣市巡迴演出，獲得各界的好評。二〇一二年為回饋花蓮的鄉親及尚未觀賞過的人，決定於花蓮小巨蛋再辦四場。其中有二場，是由花東三家慈濟醫院、慈濟基金會與宜花東慈濟志工為主體；另外二場則是慈濟教育志業體的師生、家長與慈濟志工承擔。

雖然我在「歲末祝福」中有表演的經驗，其中有些曲目相同，似可駕輕就熟，但因顧慮無法騰出時間來練習，會變成一顆「老鼠屎」，壞了醫院的名聲，遂遲遲沒有報名。誰知道正遲疑間，就接到「林媽媽」的電話，邀請我參加「水懺入經藏演繹」，令我無法拒絕，從此改變了我的生活。「林媽媽」在慈濟是家喻戶曉的人物，她是慈濟醫療志業執行長林俊龍醫師的夫人慈聯師姊，是標準的「夫唱婦隨」夫妻檔，每天跟隨執行長一起上班做志工，參與院內各式各樣的活動，從志工早會開始，然後是關懷院內同仁及膚慰病人，到處都能看到她的身影，比我們支薪的人的工作時間還要長，像這樣子比「志工」還「志工」的精神，實令我輩萬分敬佩。

「林媽媽」的一通電話改變了我的想法，只因為她是我敬佩的典範，更因為「歲末祝福」的後續效應，上人的肯定也激勵了我，我只有勇敢地往前精進。既然答應了演出，就要好好地練習，我拿到一張正式表演前的所有練習時間表，星期一和三是中午練習，我因要上班只好忍痛無法參加練習，以免因增加同仁的負擔，星期二和四是下午五點半開始練習，我盡量參加此一時段的練習，但有時要到臺北開會也無法參與，所以嚴格說來我的練習時間是低於平均值的。

為了彌補此缺憾，我不但在火車上背歌詞，平時上下班時間在開車的路途中也不斷播放指定的三首曲目，此外，我會利用休息的日子找徐玲玲師姊惡補，她很有耐心地教導每一句歌詞的細節動作，甚至要了解到哪一個「字」要做何動作，學會標準動作，回去還要多加練習才會熟練。

基本動作可以平時練習，但是各單位之間的聯合表演，則必須團體練習走位，因此只要練習行程表有團體練習的，我一定排除萬難參加。其中有一天和上班衝突，本想放棄練習以看病人為重，被林媽媽知道後，勸我一定要參加，我只好盡力而為，試著和其他的主治醫師換班，很幸運地是一換就成功。可惜的是另有一次團體練習的日子，我要到臺北萬芳醫院擔任預評委員，一心想擁有團體練習全勤者之願望落空。

經過數不清次數的練習，我逐漸體會到「水懺入經藏演繹」故事的意境，其歌詞深深的震撼了我，仔細翻閱《大懺悔》手冊，其經文都是在描述社會的亂象及不良的行徑，因為是世人皆有的惡習，故人人都要大懺悔。我再三地拜讀經文，看有無我立即且很明顯要改的不良習性，一看到「暴躁習性常傷人、強悍蠻橫失柔和、易忿難悅多含恨」，我一直為這些習性所苦。既已入經藏並且懺悔，我誓發願要「口說好話、不發脾氣」，常記「忍一時風平浪靜、退一步海闊天空」，要「得理饒人、理直氣和」。其中幾句經文更是深深打動我：「一切境界心所現、心境又隨意念轉、心存善念境是善、惡念存心惡無邊。」

在演練的過程中，隨著唱誦經文，可以使心緒平靜祥和，基本上心情是愉悅的，卻有一小段不易啟齒的痛苦經驗。乃因年歲之故難免有退化性關節炎，如長時間壓迫到關節則會疼痛不堪，在演練的曲目中有一段是要跪下去，持續約五分鐘之久，膝關節有一些疼痛，但這樣的疼痛程度還是可以忍耐克服的，後來我買了兩個護膝穿上，演練時再也不怕長跪的動作了。

曾經有人問我參加「水懺」跟醫療有什麼關係，我斬釘截鐵的回答，目前醫療界最缺乏的就是醫療人文，醫院評鑑所重視的就是是否做到以病人為中心，醫病關係的惡化都是因為溝通不良所致。經過「水懺」的洗禮，發誓革除不良習性、口說好話、發慈悲心、善解且包容，則人際關係必定變佳，醫病關係自然變得融洽，雖不敢說有立竿見影之效，然心中常存此念，假以時日，假久也會成真，深入「水懺」經藏，改變自己的習氣，絕於有助於改善醫病關係。

參加「水懺」真的有影響到我的生活，平時下班後一定回家陪老婆，一起吃晚飯、一起看電視，自從入了經藏，有無數個夜晚要去「人社院」練習走位，留下老婆孤獨一人在家吃飯，只有無情的電視陪伴她，我看得出她有一些不滿，但我相信她心裡是支持我的，我勸她說：「要忍耐！過了三月九號就沒事了。」我深信經過「水懺」的洗禮後，第一個而且最常感受到「不一樣」的應該是我的夫人，這是一輩子只有一次機會的事情，我豈能不珍惜呢？

總驗收的那一天，經過前一日密集的惡補訓練，終於從總教頭慈悅師姊口中聽到「一百分通過」的評語，這也是我們花東團隊三次驗收中第一次驗收「通過」，大夥在高興之餘都覺悟到，我們還要更加努力才行，因為還沒有達到「超級一百分」的評語，想必是缺少一絲絲的靈魂——「微笑」所致。慈悅師姊不只是教導我們正確的動作，還仔細講解經文的真正涵意。

我不得不佩服上人的智慧，以及用心之良苦，整部「水懺」演繹是一個論述結構很完整的故事，藉此法會的確能達到淨化人心的作用。首先廣邀有決心、有意願的會眾入經藏，透過不斷的演練、唱誦、讀書會，入經藏菩薩逐漸融入了「大懺悔」的心境之中，進而要「至誠發願」。參與演出的演藝人員不只親身被感動，更被「入經藏菩薩」們的唱誦內容及誠摯的肢體語言所震撼，進而也發願要「茹素、大懺悔」，接著「入經藏菩薩」們轉身邀請現場觀賞的會眾們也加入「入經藏」的行列，全場非常莊嚴，撼動人心。

三月八、九日是個令人既期待、又怕受傷害的日子，更是令人難忘的日子。當天下午用完午膳，全體參演人員就開始進駐小巨蛋體育館，做重點式的複習及與演藝菩薩做全套的彩排。晚上七點整「水懺演繹」正式上場，整個會場座無虛席、莊嚴肅穆自是不在話下。演繹場面甚為壯觀，結合了宜花東社區志工和花蓮、玉里、關山慈院的同仁聯合演出，所有參演人員計有一千多人。

「法譬如水」演繹從「爐香讚」、「開經偈」的開場，「一性圓明自然」點燃了序幕，到最後的「懺悔、發願」，整個故事有如行雲流水、一氣呵成，在在可見編導的功力，更可見上人用心之良苦。在全體參演人員廣邀會眾入經藏的誠摯邀請手勢後，配合「衷心禮讚」的唱誦和整齊優雅的小步伐出場，這齣經典名劇的演出逐漸進入了尾聲。

正式表演跟練習就是不一樣，練習時是要熟練基本動作及走位，正式表演時才是考驗的開始。我覺得在唱誦和有肢體表演的時候反而輕鬆自在，只要把平時的技術拿出來即可，可是在看演藝菩薩的演出或聽上人開示時，才真正考驗了「定力、毅力、與體力」，因為這時我們被要求站著不能亂動，我就期許自己要像「中正紀念堂」的衛兵一樣「立正」站好，一動也不能動，至少在燈亮的時候要百分百做到。

「立正」二十幾分鐘不能動，真的很困難，我強忍著喉癢不能咳嗽，有時臉皮或眼皮有點癢也忍耐不能摸，還要聚精會神用眼睛的餘光看其他人的動作，以確實掌握何時要合掌、何時手該放下、何時又要跪下、何時要伸出手等等，還好執行團隊很貼心的在我旁邊安排一位「知音」（提醒者之意），只要我注意力集中就不會出錯。有一段時間小腿酸到要抽筋，只好小心的活動一下雙腳，希望這時鏡頭的鎂光燈沒有對準我，不然就糗大了。

此外，我還會害怕跪下的動作，雖有護膝軟墊可以使膝蓋不再痛苦，可是矮跪的動作會使腳趾關節彎曲，如果持續時間超過數分鐘，也會疼痛難耐，只有咬緊牙關、強忍著痛苦，希望時間過得快些，趕快回復到長跪或站立的姿勢。

上人和慈悅師姊於演繹結束後給了我們很高的評價，當上人說：「很想展開雙臂，擁抱大家。」一時，不知感動了現場多少人，大家更加地賣力演出。我感覺當晚的演出非常「道氣」，生平從來沒有唱歌唱得這麼大聲、唱得這麼有感覺，是什麼力量使我的歌喉變得如此嘹亮、又不會走音，我想大概是「懺悔」的力量吧！

常說：「曲終人不散」，一場「法譬如水經藏演繹」凝聚了單位同仁間的感情，每個人都法喜充滿多有收穫，雖不知這樣的「動念」能持續多久，相信有恆心與毅力的人，終能將「法」深入心臟和骨髓。我很自信的要以嶄新的面貌帶領急診同仁們服務花東的鄉親，請給我督促、給我鼓勵，讓我們彼此提醒、彼此關懷。

浴佛大典

每年五月的第二個星期日是母親節、浴佛節，也是慈濟年度三大重要慶典之一的日子，此時都會舉辦「浴佛大典」，它有三層意義：一、慶祝佛誕節——願人人以佛心為己心，感恩三寶——佛法僧；二、慶祝母親節——感恩父母養育之恩，順從父母是孝順之始；三、慶祝全球慈濟日——感恩眾生讓我們瞭解苦諦，走入人群修行。

二〇一二年五月十三日是國際母親節，也是浴佛大典的日子。前三天才開始彩排，同仁們集合後，聽種子教練的安排指揮，主要是練習走位，很少手語的表演，比起「水懺入經藏演繹」的表演簡單很多，所以教練們胸有成竹地只安排三次練習，就準備大彩排。當天下起了小雨，大家穿著雨衣依舊認真練習，已經分不清是雨水、汗水、還是淚水。魔鬼教練慈悅師姊來驗收時，不滿意早在意料之中，但還是如往常一樣的用心指導，過程雖然曲折，結局終究是美滿的。最後一天的彩排已聽不到慈悅師姊的疾言厲色，但也沒聽到超級一百分的讚美，我猜想可能是雖不滿意但還可以接受，不過也相信明天會更好。

晚春的太陽照射地球的時間特長，清晨五點之前天空已微亮，遠處的山巒清晰可見，朵朵祥雲騰空而過，看來今天將會是一個好天氣，大夥陸陸續續地在道侶廣場集合，準備做最後一次演練。在這莊嚴的時刻、於布滿著莊嚴設施的道場上、匯集了莊嚴的人們，構成一幅莊嚴的修行圖騰。在這樣的氛圍之下，心靈自然沉澱，沒有任何雜念的干擾，果然發揮了最大的潛力，慈悅師姊忍不住發出超級一百分的讚歎。

浴佛大典除了有慈濟的四大志業的眾多代表參加外，還廣邀花蓮各界：縣府、警察、消防、民代等社會代表參與，慈悅師姊要教他們配合做動作及走位。在互動之中，我再次的感受到慈悅師姊的幽默與機智，難怪雖然她有時候很兇，大家還是那麼喜歡她。

當上人進場時，全場掀起了高潮，此起彼落地向上人問候聲響徹雲霄，慈濟人對上人的崇敬之心、仰慕之情，非親身目睹是無法令人置信的。慶幸上人的身體健康狀況了得，雙手合十紋風不動，從頭到尾站了一個多小時，對於一位七十多歲的老人而言，算是難能可貴了。由於上人的加持激勵了大家，我覺得今天的正式大典最是道氣，可以媲美「法譬如水經藏演繹」的道氣。人人以最虔誠的心情禮讚、發願、感恩，雖然頭頂是艷陽高照，西裝裡面已是汗流夾背，然而心靈上的滿足，才是殊勝的因緣所要達到的目標。

浴佛大典以「爐香讚」開場，接著是衷心禮讚、浴佛、誠心祈三願、大回向、至誠發願、虔誠最敬禮、繞佛繞法等單元。其中以「浴佛」為重頭戲，「浴佛」的動作包括：禮佛足——彎腰禮敬佛像之足，並以雙手沾香湯，表示洗滌心中的塵埃；接花香——彎腰並取一朵玉蘭花，玉蘭花的清香代表明心見性之意；「至誠發願」則是啟動「法船」，願菩提道心能相續，菩薩廣行無量義，亦即祈求天下無災無難無嚎聲，社會祥和無病無苦痛。最後以整齊的小步伐，伴著「靜寂清澄」的歌聲和唱誦聲中出班，為莊嚴的浴佛大典劃上了完美的句點。

浴佛大典每年都有，節目內容可能大同小異，但是場地的布置、圖騰的設計，每年都有不同，而且是朝著創新來做變化。我雖非佛教徒，能躬逢其盛，與有榮焉！幾年前我也曾經參加過浴佛大典數次，有時還擔任醫療站醫師，但是以這次最有感覺，不但可以感受到正向力量，也算是難得的人生閱歷。要感恩很多人的努力，讓這個殊勝的法會圓滿成功的舉行，包括幕後的工程人員、所有的行政同仁，負責提詞的知音師姊，更要感恩急診部的醫護同仁，把機會讓給我，使我無後顧之憂，再次說聲感恩大家，大家幸福了！

後記

感恩、感恩、再感恩。

當初到花蓮慈濟醫院推動「急診醫學」，如今急診的運作已具有一定的品質，有些甚至還能做為醫界的典範標竿，此時退休，也算有始有終，並且不違初衷。

感恩慈濟給了我這麼好的修行道場，讓我從「火爆浪子」蛻變成經常要「大懺悔」的慈濟人。

經營慈濟急診最讓我引以為傲的是「品質指標」和「急診教學」。感恩資訊室的全力配合，設計出數不清的程式，讓我們無懼於評鑑，有充分的資料能展現品質；感恩醫護人員，願意來偏遠的東部地區服務病人，無怨無悔地配合，並做到所賦予的品質指標和教學任務的完成；感恩醫務助理，經常不眠不休自動加班到深夜，為的是將資料呈現得盡善盡美，為評鑑做最後的衝刺，祈求本院能順利通過評鑑。

為因應評鑑方式的變革，二〇一三年三月舉辦了兩梯次的「評鑑共識營」，感恩同仁的配合，都能犧牲自己的假日來參加；感恩院內主管及全體同仁對急診的支持，致使我的理念以及對急診醫學的期盼，大多得以實現；感恩院內全體醫師的配合，願意到急診來醫治等床住院的病人；感恩上人和全體慈濟志工們給我的身教和言教，您們的身影將與我常相左右，不受時空的限制，是我終身學習的榜樣。

在這個團體裡，要感恩的人、感恩的事多得不勝枚舉，總之，沒有因緣，進不了慈濟，因緣不足，也待不長久，很幸運我有好的因緣，能在這裡付出、學習、成長。

二〇一三年是我人生滿六十五歲的一年，六十五歲即退休一直是我的生涯規劃。雖說六十五歲就退休有些太年輕，但我仍然願意趁著體力尚可，為需要的地方奉獻一己的心力，能周遊各地幫有需求的醫院設計規劃高品質的急診制度，一直是我的心願，包括以病人為中心的服務、以住院醫師為中心的教學、建立各式品質指標和通過各式評鑑。

人生要活得有價值，就是在值得的地方，奉獻專長，我冀望退休後，仍能為急診醫學再衝刺，忝不負急診一路走來、始終如一的初衷。

正如《靜思語》所言：「人生猶如曇花一現，生命不過數十寒暑，無需掛懷有無被人發現或欣賞，若能時時照見自己清淨的本性，即使默默無聞，人生也自然輕安自在。」

附錄

畢業四十年同學會

二〇一二年是我們國防醫學院醫學系六十六期畢業四十週年慶，年初就接到會長永耀兄的電話，問我要不要參加四月二十八、二十九於清境農場辦的四十週年慶同學會，我盼望這一天已經很久了，遂欣然答應了這一生只有一次的盛會。雖然我們班之前也都有辦同學會，因急診業務繁忙、假日也要值第一線班，常常與同學會的日子撞期，故好多次都無緣跟同學見面寒暄，因而被部分同學譏說我不是六十六期的，我聽了雖然難過，但也當成是玩笑話一笑置之。事實上，對於長期未來參加同學會的同學，我絲毫不會在意，他們不能來一定是有原因的，在我心中他們永遠是我的好同學。

近來因年歲之故，內心思念同學之情日益殷切，腦海中不時浮現求學時的點點滴滴，不知他們是否還在行醫否？是不是都已兒孫成群？正在享受含飴弄孫之樂？尤其最是思念僑生同學的近況。

上人曾說過：「再好的機會、福報，如不能把握因緣，就會稍縱即逝！」我能與來自世界各國的同齡孩子成為同學，朝夕相處的度過整整六個年頭，這難道不是前世修來的緣分？我卻沒有把握機會，讓殊勝的因緣從指縫間溜走，在學校時沒有跟他們「混」的很熟，一旦畢業各自回去僑居地，要再相聚難如登天，現在回想起來甚覺後悔，所以我特別珍惜這一次的同學會，多麼希望能見到所有的老同學，我盼望著這一天早日的到來。

M六十六已經在歷史上留名。在學校的時候「八隊」的名聲就已聞名遐邇，英雄事蹟包括：全校籃球比賽冠軍、數屆軍歌比賽冠軍。畢業後多位同學擔任軍醫界的領導人才，包括：軍醫局局長和國防醫學院院長。在學術界亦有獨領風騷的人物。M六十六期計出過將官四人、教授或副教授共十七人，擔任過院長的有十一位，這在一個班級僅九十六位在地生中，算是很高的比率了。雖不敢說是絕後，至少也是空前。

連續下了兩天的雨，同學會當天是晴空萬里、風和日麗，踏著輕快的步伐，像小學生遠足般的心情，偕同內子搭高鐵直達烏日站，按約定的方式，我們在六號出口遇到來接待的賴同學，心情更加愉快，隨後在遊覽車上又看到了多年不見的老同學們。大多數同學們的臉孔、名字我都還記得，也都有共同的特徵，頭髮變少了、變白了、身體發福了，只有少數人我居然唸不出名字，還要別人的提醒才恍然大悟，真的很汗顏，也要感嘆歲月的無情。

感恩執行團隊很貼心的安排沿途的參訪行程，包括：九二一地震博物館、中台禪寺。我的心得是嘆大地之無情，更要珍惜當下，同樣是佛祖的信徒，為何修行的地方可以差這麼多，有的金碧輝煌、有的卻是樸實無華，不過理念還是一致的，只是實踐的方法不同而已。

同學會的重頭戲是晚餐後的會議，會中雷會長播放了四十多年前學校生活的照片點點滴滴，看著各個俊俏的臉龐，英挺的神態，大夥彷彿進入時光隧道進行著認人比賽，在歡笑聲中還透露著幾許淡淡的哀愁。感慨歲月不饒人，人生會有幾個四十年，重要的是要怎樣才活得快樂、活得有意義。

會議的最後要決定明年負責同學會承辦的地區，因為大家都想到東部地區來走走，遂推舉我和鍾兆英同學負責，這是我們無可迴避的任務，也是我們的榮幸，望能不辱使命。

第二天早上仍然是艷陽高照的晴天，一掃前日下午陰霾的天氣，同學們都到青青草原上看綿羊秀，可算是偷得浮生半日閒，老夫老妻同郊遊。在住宿地國民賓館用完午餐，準備開始步上歸程，車子行經埔里酒廠稍作休息，就直奔高鐵烏日站，在車站大夥依依不捨地互道珍重，相約明年花蓮見，為這次的畢業四十年同學會劃下完美的句點。

持平而論，要籌辦這一次的同學會委實不容易，尤其是同學們分居各地、各國，已時隔四十年，畢業紀念冊上的地址、電話恐早已變動，要聯絡他們來出席確是一大工程。雖然出了一點小瑕疵，在中台禪寺結束時集合地點沒有説清楚，致有一點小混亂，然而瑕不掩瑜，這次同學會是成功的。很感恩這次承辦的中部地區同學雷永耀、賴秉甫等人的努力奔走、協調、聯絡、策劃、安排，再加上中部地區的執行團隊通力合作，才有這樣的成績。

總共出席同學國內有五十人、國外四人，是有史以來人數最多的一次。其中更難能可貴的是，有四位僑生從美加等地不辭勞苦的千里迢迢來團聚，他們是：李秉中、曾國仁、楊亨維、陳康良等四位同學。

祝福全體同學身體健康、快快樂樂、長命百歲。

發現　探索　人文　關懷

為時代作見證　為人類寫歷史

放眼國際壯行萬里，現場觀察全球島嶼國度、世界十條重要海峽以及超越疆界極限的小國大業。
聚焦台灣深入精微，實地走尋公路網絡鋪陳的台灣脈動、十二條大河傳奇的川流台灣、巍峨巔峰的台灣山國誌和澎湃海洋文明的島嶼・岸邊。
重現鄭和下西洋壯舉，乃至追溯玄奘法師的腳步跋涉萬里河山的西域記風塵。從風中之葉的福爾摩沙到赤日炎炎的日治時期，爬梳萬卷史冊書寫台灣四百年。

最新超值訂閱優惠方案，請上《經典》網站：
http://www.rhythmsmonthly.com/
如有任何疑問，歡迎電洽《經典》讀者服務部
服務專線：(02)2898-9991
服務時間：週一至週五上午8:30至下午6:00

華人世界最好的雜誌之一

三十七座金鼎獎的最高肯定，二度亞洲卓越雜誌的驕傲

國家圖書館出版品預行編目資料

醫心如月映百川——臺灣急診醫學先行者胡勝川回憶錄／胡勝川著.— 初版. -- 臺北市：經典雜誌，慈濟傳播人文志業基金會，2014.04
272面；15*21公分
ISBN：978-986-6292-49-1（平裝）
1. 胡勝川 2. 回憶錄
783.3886　103004581

醫心如月映百川
——臺灣急診醫學先行者胡勝川回憶錄

作　　者／胡勝川
發 行 人／王端正
總 編 輯／王志宏
叢書編輯／朱致賢、何祺婷
特約編輯／吳惠晶
校　　對／朱致賢、何祺婷
美術指導／邱金俊
出 版 者／經典雜誌
　　　　　財團法人慈濟傳播人文志業基金會
地　　址／台北市北投區立德路2號
電　　話／02-28989991
劃撥帳號／19924552
戶　　名／經典雜誌
內頁排版／浩瀚電腦排版股份有限公司
製版印刷／禹利電子分色有限公司
經 銷 商／聯合發行股份有限公司
地　　址／新北市新店區寶橋路235巷6弄6號2樓
電　　話／02-29178022
出版日期／2014年04月初版
定　　價／新台幣300元

胡勝川醫師回憶錄理念冊《急診的蛻變》、別冊《胡思・生命風景》由金名圖書公司經銷。聯絡方式：02-8227-7736，邱先生。

版權所有 翻印必究
ISBN 978-986-6292-49-1（平裝）
Printed in Taiwan